黄泉とき
怪談社禁忌録

伊計 翼

竹書房
怪談
文庫

本書は怪異を考察、調査して読み解こうとした【黄泉とき怪談】である。

過去にそこでなにがあったのか——事件や災害、歴史など調べれば大きなことはわかるかもしれない。だが個人の気持ちや情念などは、調べてもわかるものではない。殺人事件が起こったことはわかっても、誰かを憎んだ痕跡は残らないから。

なにが原因でそのような現象が起こったのか——物理的なメカニズム、「そのように」視えた理由や「そのように」聞こえたという理由は無限にでてくるだろう。投影法は発想によって決められ、感音性は脳の処理に左右されるのだから。

怪異の説明などできない。説明できてしまったら、それは怪異でもなんでもない。

「それ気のせいだと思います」「ぜったい嘘だよ」「聞きたくないかな、そんな話」これらは、認知できるもの、許容できるものしか受けとらない人々の常套句である。理解できないことを考えて、寄り添うこころに思いやりが発生する。それを考えようともしないのは、誰かとわかりあうことを放棄しているのと同義ではないだろうか。

人間は、触れられないものや、視えないものをまったく信じないのかというと、そうでもない。自分の感じたことや想いに対しては強く主張をする。つまり自分のことは理解して欲しいが、他人など知ったことではないという者が多いのだ。

本書は説明できない怪異談をあえて分析、考察する趣旨のもとつくられた。

個人的に歴史書や伝承からの引用と例があまり好きではない。なぜなら、いくつかそのような書を読んで感じたのは、インテリぶってるとか、賢い感じにみせたいのかな、とかだったりしたからだ。ディスっているのではない。私の性格が悪いだけだ。いや、それはディスってるのか。今日は少し情緒が不安定かも。申しわけない限りだ。

ゆえに分析や考察をできるだけ、集めた怪談から行うことに重きを置いたつもりだ。もし歴史や伝承のくだりが登場するなら、それは私の自己顕示欲が漏れたということなので、ご容赦を願いたい。地下牢で鎖に繋がれ、無理やり書かされている私の身にもなっていただきたいのである。

多少、脱線したような気もするが私は気にしない。

怪談で怪談を考察していくが、もちろん別の可能性もあり得る。

詳しい取材の末に隠れた事実がわかったものもある。想像の範ちゅうからでることのない結果になったものも多い。どんなに細かく取材をしても分析しても考察しても、すべては野暮――このジャンルが好きな者たちにとって、怪異とは夢想することでしか喜びをつかめないものと知るはずである。記したいくつかの怪談のなかには見当もつかない事象もあり、私は最終的に思った。それ気のせいだと思います、と。このような結論に至らぬよう、皆さまには別の考察や可能性をみつけて欲しいと切に願う。

例によってプライバシーにかかわる箇所は変更させていただいている。起こった現象や現れたものは、いっさい手を加えていない。コンプライアンスに抵触する話もあるかもしれないが、ご容赦いただきたい。

本書はお祓いを受けていない。なにかあっても自己責任であることをお忘れなく。

黄泉とき
怪談社禁忌録

目次

呪ピアノ

めちゃベタな話なんですけどいいですか？

通っていた小学校に七不思議があったんです。学校の七不思議。走る二宮金次郎の銅像とか十三段の階段とか。あと、ほら。トイレの花子さん的なやつ。学校によって微妙に七不思議の内容が変わってるんでしょうけど、学校ですからね。たいていそろっている道具や教室なんか種類が決まってるから、内容もどこか自然と似通ってきますよね。

うちの学校の七不思議は、全部覚えてないけど「かくれんぼをする生首」とか「事故死した生徒の霊がさまよう」とか、そういうのでしたね。

そのひとつに音楽室がありました。ひとりでに鳴る、呪われたピアノ。呪ピアノです。前にこの話をした友人、彼が通ってた小学校はピアノではなくベートーベンの肖像画が動くとかいうものだったのですが、ウチの学校は肖像画ではなくピアノでした。

もちろん信じていませんでしたけど、一度だけこんなことがあったんです。

冬の放課後、校庭でサッカーしていたんです、何人かで。暗くなってきたので、そろそろ帰ろうかというとき。同級生が音楽室に忘れ物したから、ついてきて欲しいっていいだして。ひとりでいけよと思いつつ、いいよって一緒に校舎に入ったんです。ついてきてって頼んできた意味、すぐにわかりました。廊下、暗くて怖いんです。急いで音楽室にいって。忘れたという、きんちゃく袋？　だったと思うんですが探していたら微かに、本当に微かなんですがピアノが鳴ったんです。

高めの音で弱々しくぽーんって。

探してた彼も聞こえたらしく、ピアノのほうをみました。誰もいないし、鍵盤のところはフタがされている。しんと静まりかえっているなか、ふたりで顔を見合わせました。するとまたぽーんって鳴って。ふたりで逃げましたね、すぐに。

とまあ、こんなささいな体験ならありますね、ははッ。

古いピアノは温度や湿度の変化で木材が膨張し、勝手に鳴ることがある。

この現象が起こった季節は冬らしいが、湿度の高い時期、または温度差が激しい時期に、その場に居合わせたのならこの可能性もあり得るだろう。


私の友人に養護施設で育った者がおり、そこにはピアノがあった。

彼は妙な遊びをしていたそうだ。

ピアノの上部にある屋根（大きなフタ）を開けて、そこにむかって声をだす。

すると鍵盤に触れてもいないのに音が鳴るのが面白かったらしい。

これはピアノの種類にもより、その施設にあったのは開放弦のピアノ（アコースティックピアノ。足元にあるペダルを踏まなくても音が鳴り響くタイプ）なので起こったことだが、音の高低があえば音量が小さくても共鳴するようだ。

体験者は学校のピアノが鳴ったとのこと、おそらくグランドピアノではないかと予想される。調べたところ、開放弦のピアノではなくても屋根の近くなら共鳴はじゅうぶん起こり得るらしい。例を挙げるならモーター音が鳴る機材や外からの騒音、それらの周波があえば、ひとりでに鳴る確率は高い。

ただ体験者の学校では、他の児童もその音を聞いたことがあるくだりがあった。

そして鳴ったときの状況は静かだったことから、この例に当てはまらない気もする。

けれども――ピアノの屋根のなかに「かくれんぼをする生首」でも入っていて、それが静かにしゃべっていたのなら共鳴して鳴るだろう。

開かずの間

ぼくの実家には、入ってはいけない「開かずの間」があります。

そこで眠ると体調を崩す。しばらくいるだけで気分が悪くなる。

そんな現象が何度もあったらしく、両親が部屋を封鎖してしまったのです。

むかしは病気で寝たきりだった祖父が使っている部屋だったのですが、その祖父が亡くなってから、この現象が始まりました。彼は頑固で几帳面、部屋には誰も入れたがらない性格だったらしく、部屋に入るとその祖父の霊が怒るようなのです。

数年前、叔父が実家に泊まりにきたとき、その部屋を使用しました。

朝になって叔父は、気持ち悪くて眠れなかったと早々に帰っていきました。

その帰り道、体調が悪くて何度も車を停めて休憩したそうです。

最近では母親が、たまには風を通そうと部屋に入りました。じめじめして暗い雰囲気で、やはりすぐに気分が悪くなったそうです。その夜、母親は祖父の夢をみました。なにか、いいたいことがあるような表情で、母親をみている祖父の夢。

これはお祓いをしたほうがよい案件なのかと、現在でも家族会議が行われています。

似た案件をいくつか聞いているが、いずれも共通点があった。それは「一階で畳の部屋」「戸も窓も閉めきった部屋」「以前、病気の者が使っていた部屋」である。

そして、これらの部屋の床下には使われていない井戸があった。

井戸の水が濁りメタンガスが溜まり、身体に影響を与えていたのだ。これは大変に危険な状態で、条件がそろえば爆発事故にもなりうる。すぐにでも業者に調べてもらうことが第一である。案外、祖父は夢でそれを伝えようとしているのかもしれない。

調べてもらって井戸がなかった場合は――お祓いをお勧めする。

来訪者の気配

都内のファミリータイプのマンションに住んでいます。

両親ともに健在です。ウチ、親が若いんです。ぼくと二十歳も離れてなくて。

いつの話だったたか。高校中退して一年は経ってたかな。それくらいの時期です。なんの仕事もしてなくて。起きたい時間に起きて、寝たい時間に寝る。だから夜更かしが普通で。いわれなかったけど、親も頭かかえてたと思いますよ、本当は。

その夜もゲームとかして気がつけば二時過ぎちゃって。

寝ている両親を起こさないように静かに移動して、お風呂入りました。

パンツだけはいて。脱衣所で頭、タオルで拭いてたら。

（……誰か、きた）

なぜか唐突にそう思ったんです。いま玄関の前に誰かきたって。

インターホンが鳴ったワケでもないし、物音が聞こえたワケでもない。

とにかく、いま誰かきたってわかったんです。

パンイチのまま玄関に移動して、覗き穴から外をみたんです。

ふたり立っているんですよ。玄関の前に。ただ、ぼくの住んでいる部屋ではなく、すぐむかいの部屋です。ふたりとも背中を向けている状態。

(泥棒?　三時だよ、ヤバッ。むかいは老夫婦が住んでいるから狙ってきたんだ)

そう思ったとき、いきなりふたり同時に、こっちへ振りかえったんです。

真っ白い、お面をかぶっていたんです。目も鼻も口もない、つるつるのお面。

そこで、ぼく、引っくりかえったんです。躰が痺れたような感じになって倒れて。

朝、母親に「あんたパンツ一丁でなにしてるの?」って起こされて。

でも昨夜みたものが怖くて、母親にいえませんでした。

いまもまだ話していません。あのふたり組、なんだったんでしょうね。

風呂上がり、確かに無防備で不安を感じる者は多い。

この話で着目したいのは「なぜ玄関の外に誰かがいるとわかったのか」である。怪談でよく気配や視線を感じるくだりが登場するが、皆さんはそんな経験あるだろうか。まるで忍者のようなさえわたった感覚、感服しそうでござる。

そもそも「気配」の正体はなんなのだろうか。

最近の研究によると、気配の正体は準静電界と呼ばれるものではないかといわれている。名前で異世界のことを感じたあなたは厨二病だが、そういう意味の「界」ではない。生物は臓器や筋肉、躰のあらゆる動きに対して、微弱な電気のちからが作用している。物を動かしたり歩いたりするだけでも、それは発生するらしい。

難解なことに、それらは空気中に存在するのではなく、生物の外側のみをおおっているという。それが「準静電界」。いくつも重なった微量な電気の膜と思ってもらっていい。ちなみに私はいまネットで調べながら、わからないことをわかってる風に書いているので、私を賢いと思ったあなたは賢くない。

人間の場合、微弱な電流の動きを強く感じる器官は、電圧が最も高い耳のなかにある

「蝸牛《かぎゅう》」らしい。もっと簡単にいうと有毛細胞、つまり耳のなかの「毛」である。いわれてみれば気配に敏感な動物や人間は、なにかあったとき耳をその方向にむけるような動きをしている。

少し関係ないかもしれないが、世のなかには頻繁に流れ星をみつけるひとがいる。彼らは夜空をずっと眺めているから流れ星をみるのではない。見上げたら流れ星が現れるのだ。問題は「なぜそのとき夜空を見上げたのか」ということである。この説によると「流れ星の気配を感じたから」というのだからすごい話である。

風呂上がりの彼は玄関の外に誰かがいる気配を感じて、覗き穴で確認した。外に立っていた者の正体はわからないが、その気配を感じとったのは彼だけではなくむこうも同じのようだ。だから振りかえったのだろう。

追記

体験者に頼んで母親になにか知っているか、尋ねてもらった。母親はなにもわからなかったが、体験者が知らなかった情報が入った。むかいの部屋の夫婦はふたりとも借金を苦に自殺しており、何カ月も前から空き部屋だったという。

横浜のホテル

三重県に住んでいる彼が、就職試験のため神奈川県にいくことになったんです。応援しようと――まあ旅行も兼ねていましたが、私も一緒にいくことに。遠出することもあまりなかったし、せっかくだからと横浜の高級シティホテルを選びました。

チェックインしたあと、食事をして部屋にもどる。眠気もまだこない時間だったし、彼は試験の勉強をしていたので、なにか手伝えることはないかと考えました。

キャリーバッグに入れたYシャツにシワがよってしまっていたので、アイロンをかけようと思いつき、フロントに電話してアイロンとアイロン台を頼みました。

それから一分もしないうちに、部屋のインターホンが鳴りました。ピンポンって。

さすが高級ホテル、持ってくるのがはやい！

そう思いながら受けとるために、すぐドアを開けました。

誰もいないんです。右をみても左をみても、無人の通路があるだけ。部屋のなかにいる彼に「誰もおらん、鳴ったよね？」と声をかけました。不思議に思いつつ、ふと下をみると——なにか黒いものがあるんです。

革の、ピカピカに磨かれた黒靴。その靴が後ずさりするように、奥に奥に、ずず、ずずずと移動していきます。呆気にとられながらも、私は黒靴をみていました。

黒靴は奥の壁まで移動して、ふッと消えました。

ささいな体験かもしれませんが、とても驚きました。以上です。

さて、黒靴はなんだったのだろうか。といってもそれは黒靴であり、それ以上でも以下でもない。黒靴がただの黒靴でない理由は「動いた」と「消えた」に尽きる。

靴だけがみえた、動いてた、追いかけてきた。この話も多い。

私の印象に残っている怪談は、田んぼのなかを長靴だけが泥だらけになって追いかけてくる話だ。目的も意図もわからないのは現れたのが「履物」だけで、感情のかけらもみつからないということに尽きるだろう。問題は靴だけだったのか、それとも他の部分は視えなかっただけなのだろうか、ということだ。

「すぐ足元にあった黒靴が動いて消えた」

このインパクトは体験者にしかわからないものがある。

しかし「動く」と「消える」の前に忘れてはいけないことがある。

インターホンが鳴っている。誰かが通路からインターホンのボタンを押したのだ。

話の流れから考えても、黒靴をはいていた者が押したと考えるのが妥当だろう。

ということは黒靴しか視認できなかったが、体験者のすぐ目の前にその何者かが立っていたということになる。その何者かはものに触れることができるので、その気になれば体験者の首を絞めることもできたはずだ。

やはり怖いことである。すぐ目の前に、みえない顔があったはずなのだから。

横浜の廃ホテル

先ほどの体験者とは別のひとから、また横浜の話を聞くことがあった。

近年「在宅ワーク」や「ZOOM飲み会」などコロナ禍によってできた、もしくは定着した生活習慣がいくつかあるが、そのなかのひとつに「ホテル飲み」がある。

数人でホテルの部屋で集まって開く飲み会のことだ。

感染するから集まるなというお達しからは逸脱する遊びだが、参加したことがある者たちも少なくない。

まだ二十代の大学生だったEさんたちも昨年、横浜にあるホテルで「ホテル飲み」を決行した。集まったのは全員で男性五人、大部屋の代金をみんなで割って借りた。

大学の話や自分たちの地元の話、卑猥な話などをして先の不安を吹き飛ばすように盛り上がっていると、気がついたら怖い話が始まっていたそうだ。

Eさんのようにそういった話をまったく知らない何人かは、スマホで怖い話を検索して、ぞッとしたものを読みあげていく。

酔っぱらって検索していたひとりが「お！」と声をだした。

「すげえ、この近くに心霊スポットがあるみたいだぞ」

「マジかよ。どうする？　いく？　遠いの、そこ」

「車ならすぐだ。ちょうど食い物も酒も減ってきたし、買いだしついでにいくか？」

五人に下戸の者がひとりいたので、彼の運転で心霊スポットにむかうことになった。

思った以上に近い距離で、車で二十分もかからないうちに到着することができた。

夏めいた名前の看板だった。住宅街のなか、もともとはラブホテルとして営業していたようだが、ずいぶん前に廃墟になっている建物だった。

入口にはロープが張られていたが、またぐだけで突破することができる。

Eさんたちは車に常備されていた懐中電灯ひとつを片手に、あちこちの部屋をまわりながら物色して恐怖を楽しんでいた。

「うわあ、この部屋ぼろぼろじゃん。すげえ雰囲気あるな。ホントにゆうれいでそう」

「弁当の空箱あるよ。これ最近じゃね？　ここで食べるってどんな神経だよ」

階段をあがって最上階まできたとき、ひとりが「……あのさ」と続けた。

「さっきから、なんか変な音聞こえね？　だんだん大きくなってる気がするんだけど」

いわれてEさんたちは耳をすませた。

確かに——金属音が一定のリズムで聞こえる。

「これなんの音だ？　鍋っぽくね？」

「オレも思った。なにかで鍋を叩いてる音みたいだよな」

友人たちはそういったが、Eさん自身はドアが風に揺れて壁に当たっているような音に思えた。どちらにしても足音やうめき声と違い、恐怖を感じるような種類の音ではない。どこで鳴っているのか、探そうということになった。

「あっちじゃね。ちょっと音遠ざかったし」

「いや、こっちだろ。反響してるから遠ざかったように聞こえるんだよ」

部屋をまわりながら移動していくうちに、ついに音の正体がわかった。

Eさんの予想のまま、風であおられたドアが壁に当たって音をだしていたのだ。

「なんだよ、ビビらせやがって。ドアじゃん。風じゃん」

全員が笑った瞬間、いましがた通ってきた通路から大きな金属音が鳴り響いた。

Eさんたちは「うおおッ」と叫んで、我先にと階段へ走り、廃墟から逃げだした。

驚きはしたが、ホテルへもどる車内は興奮と笑いに包まれていた。

まさに求めていた刺激をもらったので満足だったのだ。そのあとコンビニによってアルコール類やお茶、食べるものをたくさん買ってホテルの大部屋にもどった。

再び楽しく騒いでいると、フロントから電話がきた。

「他のお客さまからクレームが入っておりまして……いえ、声は大丈夫なのですが、まるで鍋を叩くような、金属音が部屋から聞こえるらしいのですが心当たりあるよな」

音の怪異という系統の話に属するのだろう。

こういった現象は、複数人で音を聞いていた場合と個人の場合では違いがある。

複数の場合時間が経つと音は消えることがほとんどで、心配することはない。

なぜかわからないが一過性である例が多いのだ。

しかし個人ひとりだけに聞こえていた場合、長く現象が続くことがある。

その例はいずれまた別の機会に説明しよう。


今回の場合、廃屋から持って帰ってきた音にメンバーたちは気づかず、他の宿泊客に聞こえている。体験者たちはかなり大声で話し騒いでいたようだが、その騒音よりも「金属音」が大きかったなんてことは考えにくい。それなら体験者たちも気づくし、そもそも音のほうが声よりうるさいなら話もできない。

大部屋の造りに解決の糸口があるような気がして、現場にいってみた。

ホテルは高級ホテルというほどでもないが、並よりも高めの値段だった。

大部屋は入口のドアが二重になっており、防音性が高くなっていた。広めのリビングに、大きなソファとテーブル、寝室は二部屋ありベッドが二台と三台という設備の良さだった。壁も厚く、トイレとバスルームにいくまで短めの廊下まであった。

柱も壁も他の部屋より多いので防音性が高いのは間違いない。逆に「金属音」は大部屋の外まで、どうして聞こえたのかのほうが不思議だった――が。

もう一度改めて調べようと、入口付近にもどったところ、すぐに答えがわかった。

入口のドアを開けると靴を脱ぐスペースがあり、もうひとつドアがある。そのもうひとつのドアの上に、額に入った絵画がかけられてあった。その裏に御札が貼られていた。

真言宗の厄除けの御札だ。

おそらく「金属音」は部屋からではなく、入口の前で鳴っていたのだ。

御札が貼られていて、不浄なものは入室できなかったのだから。

干された布団

友人が会社を辞めてから連絡こなかったんで、心配になったんです。

電話したら「きゃー、Tちゃん久しぶり！」って第一声から元気すぎるほど元気。

「久しぶり。最近、連絡ないからどうしてるのかなって思って」

「ありがとー、心配してくれてたのね。私、信じてた！」

と、まあノリは良い子なんですが、なにしてるの？　仕事は？　って訊いたら。

「ついに独立しました！　サロンです！」

意外にも自営業を始めていて驚きました。

友人は以前、美容関係の店で勤めていました。いつか独立したいみたいなことをいってはいたんですが、こんなにはやく、しかもコロナ禍で始めるとは思ってもみなかったんで驚きはしました。都内のマンションの一室を借りてやってると聞いたので、会いにいくことにしたんです。

「こんなすぐの距離だったらもっとはやく教えてくれてもいいのに」

友人が開業したのは女性限定の個人脱毛サロンでした。

コロナの影響で閉店した知人のサロンから、機材や設備を安く譲ってもらったらしくて。実家から近いマンションの一室を借りて営業することになったそうです。

場所的には駅近というほどではありませんが、まわりはワンルームマンションばかりで、そこからきてくれるお客も多く、意外に予約が入っているそうで。

「まだ予約とかでスケジュールの組みかたとか下手で大変なのー」

「あんた、むかしから時間にルーズなところあるし」

「そうなのよー。いま必死に甘えたこころを矯正中」

友人のその仕事場は広めの２Ｋの物件。

ひと部屋は施術用、もうひと部屋は待合室のように使ってました。

「今日はもう最後のお客さまが終わったから、片付けたら遊びにいけるよー」

ご飯でも食べにいこうかということになって。

「待っててね。あ、煙草吸うよね。待合室からベランダでれるからそこでＯＫよー」

片付けているあいだ、いろいろとみせてもらい、電子煙草を吸いにいきました。

可愛いベンチを設置していて、ベランダも掃除がいき届いている感じでしたね。

（へえ。ちゃんとしてるなあ。感心、感心）

景色はマンションだらけで、あまり景観が良いとは思いませんでした。

（でも最近は煙草を吸うひとなんか少ないし、景色なんか気にしなくてもいいよね）

そんなことを考えていると、ぽつぽつ雨粒が落ちてきたんです。

（げ。晴れっていってたのに雨じゃん。洗濯物干してきちゃった）

最悪だなあとか思っていたら。

少し離れたマンションの一室に、布団を干している部屋をみつけました。

（布団は可哀そうすぎる。気づけ、はやく気づけ、雨だぞ、雨だぞ）

知らない他人の布団のために、電子煙草を吸いながら念じていました。

しかし、部屋からは誰もでてくるようすがありません。

そこ、角度的にベランダだけじゃなく、窓もみえていました。カーテンが開けられていて、カーテンレールのところにスーツがかかっていました。男性ってよくカーテンレールにハンガー掛けますよね。だからあの部屋は男性が住んでるんだって、そう思いました。ちょっと神経質ですけど、私ああいうの苦手で。余計なお世話ですが。

友人がベランダの戸を開けて「お待たせ」と顔をだしました。

「Tちゃん、片付け終わったよー。あれ？　もしかして雨降ってる？」

「そうなの。天気予報に騙された。ほら、あそこのひとなんか布団が大変」

彼女は私の指さすマンションのベランダのほうへ目をむけました。

「干しっぱなしじゃん。雨でお布団がびしょびしょに……ん？」

「どうしたの？」

ベランダにでてきた友人は、布団の部屋をじっとみています。

「あの部屋、ひといるよね？　窓のところに」

私は目を細めてもう一度、窓をよくみました。

「いや、いないでしょ。カーテンのとこにスーツかけてるのよ」

「……こっちに手、振ってない？」

ぎょっとして、さらに凝視しました。

「振って……ないでしょ？　そんなに目はよくないから、あんまみえないけど」

「なんか手、振ってるようにみえるんだけど。けっこう遠いもんね。あ、そうだ」

彼女はベランダから待合室にもどり、スマホをとってきました。

「この機種、ちょっと性能いいから。写真撮ってアップしたら、すごくみえるんだよ」

友人が最新のスマホで写真、撮ったんです。パシャパシャパシャって三枚くらい。

「これで、ファルダから選んで、アップして、そしたら——あ、ただの服じゃん」

「だから、そういったんじゃん。どれ？」

すごいですよね、もうまるで双眼鏡みたいにハッキリみえるんです。

写っていたのはカーテンレールに、ハンガーでかけられたスーツでした。

「なんか手、振っているようにみえたんだけどな」

私は電子煙草をカバンに入れて「いこっか」とベランダからでようとしました。

「あ、ちょっと待って。これやっぱりひとだよ。男のひと」

友人はスマホの明るさを最大にして、さらにアップしました。

暗いけどアゴがちょっとだけ写っていたんです。

「あ、ホントだ。よくみたらほら、袖から手もでてるじゃん」

「でしょ。さっきは腕を曲げて、手を振ってたんだよ。もう一枚はどうかな」

友人はもう二枚目をアップにして「あ」と声をだしました。

「このひと自殺してる！」

私も「え！　うそ！」と二枚目の写真を確認します。

まったく同じ角度から撮っているのに、なぜかその写真の男のひとは縄に首を通そうとしていたんです。両手でアゴまで紐を通し、目はカメラのほうをみていました。

「なんで？　連続で撮ったのに？　なんでこんな？」

友人はそのまま指を動かして、三枚目の写真を開きました。

「ちょっと……それ、みないほうがいいんじゃあ……」

アップにしていく写真を私は横でみていました。でも、アップしていく途中で。

「きゃあッ！」

友人は悲鳴をあげて、スマホの横にある電源ボタンを押して画面を消しました。

「なに？　なにが写っていたの？」

彼女は答えず、口を押さえたまま布団の干された部屋をみています。

「……怖いやつだ！」

「なに？　なにが写っていたの？」

いくら尋ねてもなにも答えてくれず、とりあえず私たちはサロンをでました。
居酒屋で呑んでいるとき、また訊きましたがやはりなにも教えてくれません。
ただ「みないほうがいいと思う。顔が怖いから」と少し震えていました。

何カ月か経ってから再三、友人に尋ねましたが同じでした。
友人はサロンのベランダの喫煙所を片付けて、もうみないようにしているとだけいってました。その理由は「Tちゃんがきた一週間後の雨の日、おそるおそるあの部屋をみたら、まだ布団は干されたままだったから。もうイヤになって」だそうです。

登場人物たちにはなんの責任もないのに怖い目にあう、不条理系の怪談である。

実際、この布団が干されていた物件を調べたところ、この部屋だけでなくマンション自体に事故物件として表記が多い。たいていは孤独死だが自殺がいくつも入っているのはやはり不気味である。

この話のように、怪異の始まりが「ただ、みただけ」という怪談が数多くある。ここで注意しなくてはならないのは「みているのはこちら」だけでなく「あちらからもこちらをみている」ことであろう。

他の怪談でも「霊らしき存在と目をあわせてはいけない」というくだりが入った話がいくつも存在する。なぜ霊と目をあわせてはいけないのか――そこに着目することが「ただみただけ」で起こった理由をつかむヒントになるはずだ。

たいていの動物は目をあわせる＝敵対行動というヤクザのような習慣がある。

このとき視線を外したほうを負けとみなして襲ってくる動物も多いが、ずっとみていても襲ってくる。目があった時点でアウトというルールが成り立っているのだ。こんなメドゥーサみたいな決まりごとが自然界に存在するのもイヤなものである。

逆にほとんどの人間はコミュニケーションをとるとき、お互いの目をあわせようとする。これは意思表示を読みとる以外にも、コミュニケーション可能という合図の表れではないだろうか。

これらの点を踏まえると、霊がもと人間としてのことも考え、おそらくはコミュニケーションを求めてターゲットを補足してくる可能性が高い。むかしのひとが「近づいてはいけない」といっていた警告の意味あいには「目があったら、もうどうしようもない」という注意も含まれているのかもしれない。

娘の妙

いまから十年くらい前。娘が六歳のとき、夜の十時ごろですね。

娘に絵本を読んで、寝かしつけて。

そのあと、夫とリビングでおしゃべりしてたら娘が起きてきたんです。

あれ、どうしたの？　トイレ？　そう尋ねたら娘が変なことといいだして。

「いまね、バアバがきてたよ。もう帰ったけど」

バアバというのは旦那の母、娘のお祖母ちゃんのことです。

「バアバの夢みたの？　でも、もう遅いから寝なきゃ。さあ一緒におフトンいこう」

抱っこして寝室にいこうとしたら廊下の先、玄関のドアが開いているんです。

びっくりして旦那にみにいくようにいいました。

異常はなかったようですが「なんで開いてたんだ？」と旦那も首を捻ってました。

「大丈夫だろうけど、侵入者がいないかチェックするわ。この子、寝かせておいて」

子ども部屋にいって、また寝かしつけました。

眠かったらしく、子守歌ですぐに寝息が聞こえてきて。

子ども部屋をでてリビングにもどると、旦那が慌てて着替えてるところでした。

「いま電話があって。母さんが倒れたみたい。ちょっと病院いってくる」

しばらくして旦那から連絡がきて。義母が亡くなったことを報せてくれました。

ショックでしたが、寸前に娘の発言のことがあったので。

あの子がいってた「バアバがきた」って本当だったんだ――そう思いました。

怪談としてはありがちな話だと思うのですが実際、本当にこんなことあるんですね。

ちょうど同じくらいの時期に、娘の話がもうひとつあります。


休日に旦那と娘、三人で公園にいきました。

仲の良いママ友たちもきていたので、娘も同年代の子たちと走りまわって。

旦那も他のパパたちも混ざって、汗だくになって走っていました。

思ったより長い時間、遊んでいたので旦那も疲れ果てていました。

買い物してから帰ろうということになって、スーパーによりました。

買い物の最中、娘が目をこすっていて旦那が抱っこするとすぐに眠ったので「こうやってみるとまだ赤ん坊と同じだよね」なんていって笑ってました。私が買い物袋を持ち、旦那が娘を抱っこして家にむかって歩いていると、娘が「ママ、ここ」と声をかけてきました。

「あら。起きたの。自分で歩ける？　パパ疲れてるから、歩いてあげて」

旦那がゆっくり娘をおろすと、娘はすぐ前にあったアパートを指さしました。

「ママ、ここ。ここね、誰もいないよ、ここ」

「誰もいない？　どういう意味？」と私はアパートをみました。

洗濯物は干されているしテレビの音も聞こえるし、窓から住人たちもみえます。

「なにいってるの。いるじゃない。ちゃんと住んでるのよ、みんなで」

「ううん、誰もいないよ、ここ。いないの」

まだいっていましたが、気にせず三人で家に帰りました。

それから数週間後くらいですね、殺人事件のニュースが流れだしたのは。

犯人が数名を誘いこんで、犯行におよんだアパートがそこだったんです。

身近に殺人犯がいたというので、近所は大騒ぎになりました。

そしてそのアパート、ひとり残らず引っ越してしまったんです。数年は無人のままでしたが、そのうちにとり壊され、空き地になってしまいました。もしかしたら娘はそのことを予知していたのかもしれませんね。

いまは勘の鈍い娘ですけど、あのころは不思議でたまりませんでした。

そういう能力って、子どものときのほうがあるものなんですかね?

子どもは勘が鋭い——そのように感じるひとは多いと思う。

私が思うに、世間一般で使われる「勘がいい」または「勘が鋭い」は物事を五感で感じて判断または決断するスピードがはやいという意味あいが多い気がする。実際は「根拠はないが直感で察する能力」という意味らしい。また、子どものころは霊感があるといった系統の話も同じところがあり、そこに根拠は存在しない。

経験上、勘が鋭い大人には「面倒くさがり」が多い。

なにが面倒くさいのかと尋ねると、なにが面倒くさいのか説明するのも面倒だと本人たちがいっている。私のすぐ身近にもいるのだが「なぜそう思ったのですか」とか「なぜわかったんですか」と訊かれたら彼はこう答える。「なんとなく」だ。

説明が面倒くさくて仕方がないひとが使うワード一位が「別に」だと思う。

三位が「もういいじゃん」で、二位がその「なんとなく」である。

改めて書くとすごく失礼なものいいだが、このひとたちはとにかく面倒くさいのだ。

なんでも言葉にする現代ＳＮＳ至上主義のひとたちとは、ぜったいに仲良くなれないほど言語化がきらいなのだ。

一度こんなことがあった。友人の運転する車で道路を走っていると、友人はいきなり前の車との車間距離をあけて車線を変更した。助手席でただ、ぼうっと前をみていた私は、それを不思議に思いつつも黙っていた。

すると、先ほど前を走っていた車が、さらに前を走っていた車に突っこんだ。

もし、うしろを走っていたら私たちの車もブレーキが間にあわず、衝突していたかもしれない。そのとき運転していた彼は「やっぱり」とつぶやいた。

なにがやっぱりなのか、何度も「なんとなく」を聞きながらも、しつこく質問を重ねると、質問されることが面倒になったのか、正直に答えた。

「前の運転、ほんの微かだけど、ふらついてるようにみえたんだよ」

子どもの場合、説明を面倒くさいとは思わないかもしれない。

ただ説明をする術、言葉を持っていないのではないのだろうか。そう感じた理由を言語化できず、ただその先の未来だけが浮かぶ。これが合理的な解釈かもしれない。

それでも急死した祖母を視たことは、やはり説明がつかない。

黒いひと

ずいぶん前のことです。私は夫と二歳になる息子とアパートに住んでいました。
そのアパートは目の前に駐車場、その敷地の端に小屋がありました。
ほったて小屋のゴミ捨て場です。
その小屋は住民しか使わないので、ゴミをだす時間の規制もゆるかったんです。
私と同じように、収集日の前日なら夜のうちにゴミをだすひとも多かった。
ある夜、夕食のあと袋にゴミをまとめて、ゴミ捨て場の小屋にいきました。
小屋のなかにフタのついたゴミ箱が並んでいます。
それぞれ燃えるゴミ、燃えないゴミと書かれたゴミ箱。
そのフタを開けてゴミを入れようとしたとき、私は気づきました。
なにか黒いものが小屋の奥、隅にぽつんと置かれているんです。

ゴミ箱に入れずに置かれた黒い袋？　どうしてゴミ箱に入れず、奥の隅に？
しばらく凝視して、黒いものの正体がわかりました。
膝を抱えて座っている黒いひとだったんです。
私はゴミ箱に入れようとしたゴミ袋を落として、すぐに小屋から逃げました。

それ以来、毎回いるんです。必ず。その黒いひとが。
ずっと座っているというより小屋に入ったら、ふッと現れる感じでした。
いつも膝を抱えて座り、下をむいているので、こちらに気づいてないようでした。
それでも私は怖くて。
なんとか奥の隅をみないように、すばやくゴミを捨てる習慣がつきました。
当然、夫に話しても信じてもらえず、他の住民たちにも視えていないようでした。
やっぱりあの黒いひとは人間じゃないようなのです。
最初は私になにか目的がある、なにかされるかもしれないと怯えました。
ところがいつまで経っても座ったままです。
私は疑問に思いました。

私にだけ視えることを疑問に思ったワケではありません。
なぜあのひとは小屋のなかに座っているんだろうか。
なぜ外にでないんだろうか。
なにか理由があって、あそこから動けないのではないだろうか。
そう考えると、怖い存在とはいえど、やっぱり不憫に思えてきました。
もしも自分が死んだあと、あの世にもいけなかったら。
もしも誰にも気づかれず、その場から動けなくなってしまったら。
そしてそれが永遠に続くとしたら——そんなの地獄ですよね。
同情しましたが、怖いのは変わらないので、目をむけないようにしていました。

初めて黒いひとをみつけてから二年ほど経ったころですかね。
息子も少しずつ大きくなってきたので、引っ越しをすることになりました。
アパートからそこまで遠くはない市営住宅です。
たくさんの荷物や家具を新居に運び、荷解きもすませました。
たくさんゴミがでたので私はそれらを持って外にでました。

前のアパートと同じように、市営住宅専用の小屋に捨てるためです。
そこは建てたばかりだったようで、ゴミ捨て場の小屋なのにキレイでした。
もう前の家のように怯えず、ゴミを捨てることができます。
黒いひとには申しわけないけど、怖い思いなんてしないほうがいいですから。
今日から安心してゴミがだせる。小屋に入ったら黒いひと私を待ってた怖いいいゴミ捨て場にいったら、ひとがいる——おそらくそれだけでも怖いだろう。

こちらの話は土地に憑いているものか、それもとひとに憑いているものか。

わかりにくいのが特徴だ。

体験者の女性に憑いているような印象を受けるが、新しく引っ越しをした市営住宅は前のアパートから二百メートルほどの距離だ。土地に憑いていたとしても、じゅうぶんに納得できそうな距離だが、体験者の女性にしか視えていない。いままで反応はなかったが、最後は女性に対して動きをみせていることがさらに話を難解にしている。

いままで多くの話を聞いてきた経験としては、彼女がたまたま視える（もしくは周期のようなものがあり、ときどき視える）だけで、土地に憑いている気がする。


実はこの話のポイントは別にある。

前のアパートのほうにいた黒いひと。そして新しい市営住宅にいた黒いひと。

このふたりは同じ黒いひとなのか？　ということだ。

日本各地で取材をしている怪談の語り手に尋ねたところ、黒いひとの目撃談はたくさんある。顔のパーツが確認できず、服をきているのか裸なのかもわからず、男性か女性かの判断もできない。イメージとしてはずいぶん古い時代に亡くなったかたのなれの果てのような印象も受けるが、語り手がいうには、いままで黒いひとの目撃談がもっとも多かった地域があったらしく、そこと共通するものがあるか調べたら読み解きがはやいかもしれない、とのことだ。この話の提供は配信だったので、体験者は住んでる細かい場所をいえなかったようだ。是非、調べてみたらどうだろうか。

以前、その町で炭鉱労働者が多かったか否か、炭坑の事故はなかったか、を。

閉店後の客

Iさんという男性は高校生のころ、大阪の梅田にある店でアルバイトをしていた。

同じバイトの大学生の先輩から「Iくんの家ってS駅やんな。〇〇〇っていうデパート知ってる?」と尋ねられた。S駅は家からいちばん近い駅だ。

「知ってますよ。むかしからありますよね、あそこ。デパートっていうかショッピングセンターっていうか。四階建ての小さいビルでしょ。そこがどうしたんですか?」

そうかえすと、先輩はこんな話を聞かせてくれた。

梅田の店は週末だけで、平日は工場で彼は働いていた。

その工場が最近つぶれてしまい、他の仕事を探さなくてはいけないことになった。

バイト雑誌で調べ、S駅の〇〇〇の店舗に応募した。

地下にあり、チェーン展開しているラーメン屋だった。

店はテーブルとオープンキッチンになった厨房だけの簡易的なものだった。受け渡しのカウンターと使用済み食器をセルフで返却する棚、レジと厨房。それらがせまい範囲で行われるので、全部を覚えなくてはならない。

先輩はバイト経験が豊富で、指導や説明がないことでも仕事はすぐに覚えた。ところがひとつ、理解できないことがあった。

店を閉めるとき、テーブル席に座っているひとがいても、無視しろという指示だ。

実際、それは起こった。

閉店してから社員と一緒に片づけをしていたときのことだ。

「おい、あれやで。前に言うたやろ。話しかけるなっていうの。見てみ」

社員があごでテーブル席を示すので、先輩が目をやる。

返却棚のむこう、テーブル席に男性がひとり座って背中をこちらにむけていた。

「誰ですか？　お店の偉いさんか誰かですか？」

先輩がそう尋ねると「違う」と社員は片付けの作業をしながら続けた。

「ラーメン食べたいだけのひと。無視せえや、ぜったいに」

閉店してるのに入ってきている客を、追いださずに無視しろということらしい。

先輩は首をひねったが、それ以上教えてはもらえなかった。

片づけを終えたあと、社員と一緒に店をでるとき、男性はいなくなっていた。

「おらんやろ。勝手にどっか行きおるから無視してたらええ。な。わかったか？」


二週間ほど社員がいろいろと教えてくれたが、それ以降はほとんどひとりだった。

特になにも問題は起こらなかったが、注意された「閉店時に現れるひと」は何度かみかけることがあった。

店を任されるようになって最初にみたのは、あの男性ではなく女性だった。

ぎょっとしたが、指示された通り無視していると、いつの間にかいなくなっている。

その次にみたのは白髪の老婆。

その次は坊主頭の男性。

どうやら老若男女問わず座りこむらしいが、なぜか全員まったく動かない。みえているのはほとんど後頭部だけなので、どんな顔をしているのかもわからなかった。

店に入って座るところも、店をでていくところもみたことがなかった。

さすがに先輩も気づきだした。

（いや、これって……人間やあらへんな）

ある夜、片づけをしている最中のことだ。
珍しく忙しかったので、洗わなければいけない器が大量になってしまった。
順番に食器洗浄機に詰めこんでいくが、ずいぶん時間がかかりそうだった。
先輩は辟易しながら時計をみた。
とてもじゃないが予定時間に終わりそうにない。
（まあ、こういう日もあるか）
食器洗浄機から皿をだして、乾燥させるスペースに一枚ずつ並べていく。
ふと返却棚からテーブル席をみると、髪の長い女性の後頭部があった。
（またきてる……今日はおんなのひとか）
そう思ったとき、手が滑り、器を落としてしまった。
意識せずに口から「くそ。やってもうた」と声が漏れた。
身をかがめ、割れた器の欠片をひとつひとつ拾って、ゴミ箱に入れて立ちあがる。
返却棚に突っ込むように、おんなが厨房へ顔をだしていた。

先輩は悲鳴をあげて目を閉じた。

まぶたを閉じる寸前に消えたのもわかったが、恐怖でしばらく動けなかったという。

「……ってことがあったんやけど、あの〇〇〇ってデパート、なにかあったん?」

そう先輩に尋ねられたが、Ｉさんは固まってしまったという話である。

この小さなデパートで過去にあったことや、デパートが建つ前などを調べてみた。立地の良い駅前の大阪府内では有名なデパートらしいが、これといって特筆すべきような出来事はなにも起こっていない。この駅周辺は治安があまり良くないようで、犯罪の話を聞くことが多かっただけだ。大きな事件もなければ、災害もない。

偶然だが、このS駅には知りあいがいて、何度もいったことがある。昭和の下町の雰囲気が残っている街で、いままでたくさんの怪談をこの街で仕入れている。

治安の悪さと怪談は、密接な関係があるように思えてならない。

他の都道府県ではどうか知らないが、関西で何度もこんなセリフを聞いた。

——ゆうれいがいる飲食店は儲かる。霊がひとを呼ぶから。

実際は逆で、霊が現れたり怪奇現象があったりしたら客足が遠のく。それは当たり前のことだ。食べているときに、ゆうれいがでたら怖くて食事どころではない。

では、なぜまるで縁起が良いようないいかたをするのか。

十年以上前に関西の飲み屋で、数人で呑んでいるときのこと。

話の流れで、ひとりが「ゆうれいがいる店は〜」のセリフをいった。

「そのセリフって、いつから、なんでそういう風に言われてるんやろうか?」

みんなに尋ねたが、誰も的確な答えをだせなかった。

するとカウンターに座っていた老人が、私たちのテーブルをむいてこういった。

「むかしは視えるひとが多かっただけや。今日もようさん、おるわ」

彼女ご立腹

彼女、新宿で夜の仕事をしてるんです。キャバクラ。お酒飲むから毎晩、酔っぱらっちゃうし、お酒入ると性格が軽くなるんですよ。浮気とか心配。あと美人だし。

ぼくの家は千葉のほうで新宿まで一時間かからない。でも乗りかえとかあるんで、ちょい面倒くさい。だから彼女が仕事終わってから家にくること、ほぼないんです。

酔っぱらうとLINEの既読とかつかないし。ちゃんと自分の住んでいるマンションに帰ったかどうかもわかんない。だから、ぼくが引っ越すことに決めたんです。彼女、けっこうワガママなんですよ。いつも「いい加減に就職しろ」や「もっとバイトの日を増やせ」とか文句や不満が多くて。だから、いい部屋をみつけようとがんばりました。

不動産屋さんをやたらまわって、何カ月も探しましたよ。条件のあう部屋。

新宿駅から近いオートロックの3DK。どうです、スゴイでしょう。荷ほどきを済ませ大量のダンボールもゴミにだし、バイトが休みの日にいよいよ彼女を呼びました。

新宿駅の近くの店で中華を食べて。そのままマンションに連れていきました。

彼女は外観で「え、このマンションなの……」と驚いていました。きっと、ぼくみたいなフリーターが住める物件とは思えなかったんでしょう。エントランスからエレベータに乗って、部屋にむかいました。ぼくは鼻高々に室内を案内しました。

「ほら、このへんに大きい化粧台とか置いてさ。ゆっくり準備して店に出勤できるよ。飲みすぎてもこのマンションなら徒歩で帰ってこれるし。いいだろ、この部屋」

すると彼女はまっすぐ僕の目をみて、こんなことというんです。

「……なんで、なんでこんな部屋選んだの。私、ここイヤ……キライッ。ふざけないでよ。本当のことをいってよ。どうしてこんな場所の、こんな部屋を借りたのよッ」

ぼくはワケわかんなくて、どこが気に入らないのか聞きました。

「全部よッ。私、帰るッ」

座りもせずに帰ろうとしたので、彼女を引き止めました。こんなにきれいな部屋じゃん、なのにどこが気に入らないんだよって。彼女は顔を真っ赤にしていうんです。

「きれいって、こんな……こんなの、室内のリフォームしているだけでしょッ」

玄関のドアを開けて外にでてしまいました。ぼくは通路で彼女の腕をつかんで。なんとか落ち着かせようとしましたが、いままでみたことがないくらい怒ってるんです。彼女が怒鳴っていたので、なんの騒ぎだろうと思ったんでしょうね。隣の部屋の玄関から体格のいいタンクトップの男のひとがでてきて、彼女とぼくをみました。それに気づいて彼女の腕を離すと、彼女はそのすきに逃げるように帰っていきました。

それから彼女、連絡しても「引っ越して」の一点張りで会ってくれなくなりました。

何日か経った夕方、バイトにいくときのことでした。

玄関を閉めようと鍵を挿しこんでると「こんにちは」と声をかけられました。誰かと思えば隣の部屋の男のひと。そのときは仕事帰りだったみたいで、タンクトップじゃなくスーツ姿でした。スーツでもガタイがいいのは充分わかりましたけど。このあいだのこともあるんで笑って「こんにちはあ」ってかえしました。

「引っ越してきたんですよね、その部屋に。よろしくお願いします」

こちらこそよろしくお願いします、なんていいながら。時間もあったし、ちょっと世間話みたいになったんです。そしたらね、変なこと聞いてくるんです。

「あの……この前の子って彼女さん、ですか?」

腕とかつかんでいたから、やっぱり変に思われたんだ、そう思いました。

「あ、そうです。すみません、なんかケンカみたいになっちゃって」

そうやって頭かいてたら、変なことばっかり聞くんですよ、そのひと。なんか「彼女さん、その部屋にきたのは初めてですか」とか「その部屋って、もしかして家賃安くないですか」とか「不動産屋からその部屋のこと、ちゃんと聞きましたか」とか。

なんかこのひと、ヤバいひとかも。そう思って適当に返事して「あ、すみません。そろそろバイトいかなきゃ。じゃあ、また」ってマンションをでて駅にむかいました。

男のひとのいってたこと、電車に乗りながら考えて。なんかわかったんです。

もしかして——事故物件じゃないかって。

いわれてみれば寝室で寝てるとき、なにかの振動かと思っていたけど、低い泣き声みたいなの聞こえるし。テーブルに置いてたスマホが床に落ちてるのとかよくあるし。そのスマホをみてたら画面に影が横切るの、反射で映ってることがあるし。

考えてみれば新宿で家賃相場の半分以下って安すぎますよね。

ということは、ということはですよ。彼女の一件もなんかわかってきたんですよ。実は彼女、霊感みたいなのがあって、家にきたら部屋になんか視えて。それで怖くなって逃げだした――そういうことだったんですよ。

そういうことだったんですよ、で締めているがそういうことではない。

さらに詳細を聞いたあと、こちらで調べにいったら簡単に真相がわかった。

新宿でそれだけの部屋は相当な高値になってしまう。それなのに体験者は週に三度しかバイトしていないことから、具体的な家賃は聞いていないが破格なのだろう。

実は彼女に霊感があり、新居が事故物件だったから、怒って帰ってしまった。体験者はそう思っているようだが間違っている。正確には三割正解というところだろう。

当事者にはいえないが、他人になら簡単にいえることもある。取材や調査の面白いところだ。体験者がいろいろ尋ねられた隣人、会社員の男性本人から話を聞くことができた。次行より隣人の証言、そのままである。

「隣に住んでいた前の住人ですか。自分で首を切って亡くなったらしいですよ。刃物ですからね。事件の疑いがあるっていうんでウチにも警察がきました。いや、結局自殺だったんですけどね。借金を苦にしての。部屋中、血まみれで酷いありさまだったそうです。亡くなる数日前、低い声で泣いている声がウチの部屋にも聞こえていたんで、借金苦のせいで悩んでいたのかと思ったら……どうも、それだけじゃないみたいなんですよね。

大家さんから聞いたら、失恋っていうのも原因のひとつだったみたいで。遺書があったらしいですよ。彼女に捨てられたとかなんとか。でも私からみたら、ただ貢いでいただけだと思うんですけどね。だって、酔っぱらったキャバ嬢がよく深夜に遊びにきていましたもん。あ、そうそう、このあいだ新しいひとが部屋に入居したんですけど、その彼女、前の住人の彼女にそっくりだったんです。驚きました」

証言だけでは、彼女が浮気をしていたのかどうかまでは断言できない。

しかし、霊感があるからではなく――訪れたことがある部屋、酷い自殺があった部屋に偶然、彼氏が引っ越したので、混乱した彼女は怒るしかなかったのだろう。

結論として、安全のため部屋に彼女を呼ばないほうがいいかもしれない。彼は自分で部屋をみつけたと思っているだろうが、そうではない。部屋が彼らをみつけたのだ。

悪しき場所

私の親せきのY子さんは戦後から、関西の田舎にある集落に住むことになりました。いままでと違う環境に家族は苦労したようですが、まだ子どもだったYさんは毎日無邪気に遊びまわっていました。なにせもう空襲に怯える必要はないし、食料もたくさんある。Y子さんは「こんなにええトコやったら、もっと早よお引越しすればよかったなあ」と笑っていたそうです。町が活気づいたせいか、これまでが張り詰めすぎていたせいか。ひとのこころも温かく優しいひとが多くなった気がしたそうです。


ある夜、住んでいた借家の大家さんが野菜を持ってY子さんの家にきました。

「近くの畑で採れたやつや。よかったら、みんなで食べてな」

面倒見のいいひとで、いろいろな食料をよく持ってきてくれたそうです。

そんな大家さんにY子さんも懐いていたようで「今日、広場のところに遊びに行ってん。今度、オバちゃんも一緒に遊びに行こう」とか話して。大家さんはもういい年だったんですが、戦争で息子さんや孫を兵隊にとられて亡くしていたから、特に子どもには優しかった。甘いものが手に入ると、すぐY子さんに与えていたようですね。

「そうか、そうか。ほな、今度一緒に広場連れて行ってな」

「あとな、友だちが言うてた。あそこの山。山のところにユウレイ出るねんて」

すると、大家さんの顔色が変わって「誰が言うた？」とY子さんを睨むんです。

「誰が言うてたんや？　あんた行ったんか？　山のとこ、行ったんかて？」

あまりの変わりように、横にいたY子さんの母親も驚きました。

「こ、この子は行ってないと思います。あ、危ないところなんですか？」

「……あんた、ちゃんと言うとかなアカンで。そうや。あそこは危ないところや」

そういってしばらく黙りこみ、ぷいっと帰っていったそうです。

Y子さんも母親も大家さんの迫力に圧倒されて、しばらく縮み上がったままだったそうですよ。それがすごく印象に残ったみたいですが、意味はわからなかった。

それから月日が流れて、Y子さんが高校生になったころです。

学校から家に帰宅すると母親から「これ。ようさん果物もろたから、大家さんに持って行ってあげてくれる?」と袋を渡されました。Y子さんは「はーい」と返事してその足で大家さんの家にいきました。

もうそのころには大家さん、ずいぶん躰が弱っていて。近所のひとたちが手助けして生活していたみたいです。

「おばあちゃん、果物持ってきたで。なんやろこれ……桃や。桃、持って来たで」

「Y子ちゃん、ああ……桃か。おおきにな。おおきに」

少し苦しそうな声をだしていたので、Y子さんは心配になりました。

Y子さんは靴を脱いで家にあがりこみ、居間にむかうと「おばあちゃん、大丈夫? しんどい?」とソファにもたれかかっている大家さんの顔を覗きこみました。

「大丈夫や。今日は足が痛いねん。ズキズキするわ」

「私、剥いたるわ。いま食べるやろ?」

大家さんの「おおきにな」という声を背に、Y子さんは台所にいきました。

幼いころからのクセになっていたんでしょうね、包丁で桃を剥きながら今日学校でなにがあったのかを話し、大家さんもそれを聞いて笑ったりしていたんです。

「はい、できたで。食べて。めっちゃ美味しそうやで。完熟桃や」

「いただきます。あんたも一緒に食べよう」

ふたりで桃を食べながら、ああだこうだと話していると、ふとY子さんは学校で話題になっている話を思いだしたんです。

「おばあちゃん、呪いのワラ人形って知ってる？　夜中、木にトンカチでカンカン打つやつ。あれ、ホンマにあるねんで。めっちゃ怖いわ。夜中、そんなんするひと」

ちょうどその時期、Y子さんの学校で絵を描くのが流行っていたらしいんです。

何人かの生徒が絵を描くために山のふもとにいき、森を少し入ったところの木にワラ人形が打ちつけられているのをみつけて、それが話題になっていたんです。

「あんなところ、夜真っ暗やのに。釘打つひとは怖くないんかな」

大家さんは桃を食べながら「あんたも行ったんか？」と尋ねてくる。

「私は行ってないで。そういえば、なんか子どものときからあそこの山のところ行ったらアカンって、おばあちゃんも言うてたな。怒りながら。あれ、なんでなん？」

尋ねかえすと、大家さんは真剣な表情でY子さんの顔に目をむけた。

「あそこはな、祟りがある言うて。前は近づかんようにしててん」

祟りと聞いてY子さんは身をすくませました。

「あの山のもっと奥に、お願いを叶えてくれる神さまがおってな。そこでお願いせなアカンのに、それを知らんと森とか山のふもとで願掛けしおるひとが多い。しかも、そのお願いごとが、ワラ人形、不幸になれみたいなことやろ。それで神さまが怒りはるんや。いまでもバチ当てに来おるねん。そのときはタダじゃすまんからな」

「でも、ホンマにバチ当たったひとっておるん?」

「おるおる。雷に打たれたひともおった。そのひと雨の日にワラ人形打ちにいって、ピシャンッて雷に打たれた。生きてたけど、すごい顔になってたわ、おんなのひと」

「すごい顔って?」

「顔中、血管浮いたみたいな火傷になってた。他にもたまたま通りかかっただけのひとたちがおって。何人か倒れて死んでたこともあった。近づくのもダメや」

むかし大家さんがY子さんに怒った理由が、そのとき初めてわかったそうです。

しかし、同時に疑問も浮かんできました。

「なんで関係ないひとまで祟りにあうの?」

「神さまの考えることはわからん。神さまからしたら、どの人間も一緒かもしれへんな。

でもあそこに近づいたらアカン。いつか酷い目にあう。行かんほうがいい場所もあるんや。覚えとき」

「……でも、あそこ、家いっぱい建てて新しい集落造ろうとしてるで。大丈夫かな」

「大丈夫じゃないやろ——みんな、どうなるんやろうな」

詳しい場所は書けないが、忌み地や禁足地と呼ばれる場所の話である。

それは日本各地に存在し、そこに住んでいるひとたちがいた場合、差別問題として扱われかねないので「縁起の悪い場所」と教えられることは、ずいぶん少なくなった。

なぜ縁起が悪いのか。明確な理由を知る者はいない。長いあいだ、口承されてきた場所は多くの場合ネットで調べてもでてこない、ある意味、貴重な情報だがそれが封印されている。皆が選んだ世のなかのコンプライアンスの弊害ともいえるだろう。

住居を構えたり遊びにいったりするときは、そういった場所を避けたほうがいい。書けないこともたくさんあるが、いままで調べた忌み地であった出来事の例を記しておく。

次のようなことが過去になかったか、参考にして欲しい。

・廃屋が多い。
・雷がよく落ちる。
・なぜか県外からやってきて、わざわざそこで自殺するひとがいる。
・湿度が高く地面がぬかるんでいるのに田畑が極端に少ない。
・懲役にいっていた人間が何人か住んでいる、または犯罪に関連する者が住んでいる。

・遺体が発見されたことがある。
・使われていない放置された古井戸がある。
・動物の死体をよくみかける。
・なにかが腐ったようなニオイがする。

古い迷信だと侮るなかれ。この話の「山のふもと」はこの数十年のあいだで何度も山崩れを起こし、たくさんの被害がでている。そのたびに整地され、また新たな住宅が建てられているのだから恐ろしい話である。

柳あそび

石川県奥能登出身のOさんという女性からこんな話を聞いた。

小学生のころ彼女が住んでいた町は、古い家が多い田舎だった。

ある日、クラスメイトのAさんが「私の叔母さん、手術をしたんだ」といってきた。

そのときOさんは「へえ、そうなんだ」と答えた。

しかし、家でAさんの叔母の手術のことを両親に話すと「また？」と驚いていた。田舎ということもあり、大人たちは同じ町の住民のことをよく知っていた。Aさんの家では叔母だけでなく、Aさんの祖母と父親も最近手術をしていたのだ。そのどれも開腹しなければいけないほどの大きな手術で、何度もそんなことが続くのはおかしい。そう両親は思ったのだ。

叔母の手術のことをきっかけに、Aさんの父親は家を霊能者に視てもらおうといいだした。Aさん一家は県外から引っ越してきた家庭で、もともと地元の者ではない。ここまで病気が続くのは家自体になにか原因があるのではと考えたのだ。

そして家を視た霊能者はこのようなことをいった。

「この土地で腹を切って死んだサムライが悪さをしてる、床を調べてみろ」

実際に家の床下を調べたところ、錆びた古い刀がみつかった。それ以来、Aさんの家族で続く病気の連鎖は止まった――といった旨の話をOさんはAさんから聞いた。

(むかしっていっても……こんな田舎にサムライなんかいたの？)

Aさんが注目を浴びようとして、こんな話をしたのだとOさんは思ったという。


Oさんの話を多くのひとに語り、Iさんという男性にも聞いてもらった。

サムライとかはいたんじゃないの。そりゃどこでも、ちょっとくらいはいただろ。でもさ、その話聞いて思いだしたけどさ、前に奥能登出身の同僚がいたんだよ。そいつと喫茶店で取引先の相手を待っていたとき、退屈だから無駄話ばっかりしてたの。出身地がらみの話から始まって、奥能登ってどんなところ？　みたいな。

ほとんどの家はそうでもなかったけど、何軒かの家と、自分の家は迷信深くて面倒くさかったとかいってたよ。

子どものとき、友だちが溺死体でみつかったことがあったんだってさ。

通夜でその友だちの家にいったら、なんでか家族が怒られてたのよ。

普通、子どもが死んだ家の家族、怒鳴ったりしないだろ？

村の何人かがすっげえ怒ってるの。怒鳴ってる内容が変だったらしいんだよ。

「この時期に川に近づくなと、どうして教えなかったんだ！」

「引きずりこまれるってわかってるだろ！」

「あれだけお祓いしたのに、意味がなくなったらどうするんだ！」

そんな意味わからないこと怒鳴って、息子死んだ家族が謝ってるの。

あまりの迫力に、そいつ泣きだしちゃったそうだよ。そのあとお祖父ちゃんに連れられて帰るとき、さっきみんな怒鳴ってたのって、どういう意味かすぐに聞いたんだ。

「むかしたくさんおサムライさんが川で死んだから、そういう年があるんだよ」

意味わからないけど、なんかそういうの教えられたらしいよ。

田舎でもそりゃ、いろいろあるんじゃないの？

家の下に刀とか埋まってても、特におかしくはないだろ。

Iさんの話を多くのひとに語り、Mさんという女性にも聞いてもらった。

亡くなった家族に厳しいひといますよ。

ネットとかの誹謗中傷もそうだけど、もう同じ人間じゃないって感じがしますね。本人たちだけが、酷いことしてるのに気づかないのも不思議ですけど、でもそういうことってむかしからあるんですよ、きっと。

覚えてないんですけど私がまだ幼いとき、近所の男の子が車に轢かれて亡くなっちゃって。私のひとつ下っていってたから三歳の子かな。道路でボール遊びしてて。

その子のママさん、おかしくなったんです。怪文書が届きまくったせいで。

〈オマエノ　セイデ　コドモガ　クルマニ　ヒカレテ　シンダ
ドウシテ　チャント　ミテ　アゲ　ナカッタ
ゼンブ　オマエノ　セキニンダ
イエヲ　ウッテ　ベツノ　トコロデ　クラセ　ヒトゴロシ〉

〈アンナトコロデ　ナゼ　アソバセタ
マイニチ　タノシイデスカ　ヒトゴロシニナッテモ　ゴハンハ　オイシイ　デスカ
ジゴクデ　マッテルゾ　サッサト　イッテ　ヤレ〉
〈ヒトゴロシノ　ママ　ハヤク　シンデ　イタカッタヨ　ママ
ジブンデ　ジブンノ　カラダニ　ヒ　ヲ　ツケテ　クルシンデ　クルシンデ
シンデ　シマエト　オマエノ　コドモガ　イッテイルゾ
サッサト　ヤケシンデ　ホシイッテ　オマエノ　コドモガ　イッテルゾ
ハヤク　シネ　シネ　シネ　ママ　ジゴク　ハヤク　キテ〉
うちの両親がようすをみにいってそれ読んだんですけど、何十通も届いていて。
「なにこれ！　酷い！　誰がこんなの書いたのッ」
母親はすごく憤慨してたらしいですけど、誰かなんてわからないじゃないですか。
それ読んでるあいだもその子のママさん変で、仏壇に供えられたミカン手でまわしながら「ジゴクいくの」って笑っていたらしくて。事故のあと、怪文書と悪戯電話が続くようになってから、そうなったらしいです。
うちの父親がママさんの夫を説得して病院に入院。厭な世のなかですよね。

でも、しばらくして町内会の役員の女性が、いきなり灯油かぶって自殺したんです。そのあと、最後に短い怪文書が届いたんですけど、内容が妙だったらしくて。〈コドモガ　イエニ　キテ　コワイ　ヤメサセロ　モウテガミ　オクラナイカラ　ヤケシネっていうから、ずっというから、おかしくなってます。ついに灯油を買ってしまいました。やめさせてください。お願いです。本当に申しわけありませんでした。〉ママさんの夫は、それを読んで犯人がわかったと泣いていたそうです。ちなみにママさんはその後、回復してまた男の子を産んだらしいです。亡くなった子と同じ名前をつけたそうですよ。

Mさんの話を多くのひとに語り、Uさんという女性にも聞いてもらった。

怖いよねえ、やっぱり人間のほうが怖い。
私も娘が小さいとき、町内会のひとに意地悪されたことあったのよ。あるとき「ママ、あたしもバザーいきたい」っていうから、なんのことって訊いたら、ウチだけバザーあるの知らなかったの。そのときにわかったんだけど、レクリエーションのあるときだけ回覧板、飛ばされてたのよ。もう大喧嘩したわ。

でもね、腹立つのは、意地悪をけしかけているヤツ以外のひとたちなのよね。首謀者のそいつはいいわ、別に。性悪で腐ってるんだから。でも、まわりのひとたちも、そいつのいいなりみたいになって結局、そいつを手伝って加担してたってことでしょ。それが腹だたしいわ。知っていて黙っていたんだからね。怒って訊いたら「かかわりあいになりたくなかったの、ごめん」とかいって、充分かかわってるじゃん。

まあ、どの業界にもそんな卑怯者たくさんいるからね。

私ね、若いころ工場に勤めていたの。鉄工所みたいなところ。

プレス機とかあるから危なっかしくて。鉄が簡単にへしゃげるんだから、そんなのに指なんかはさんだら当然つぶれちゃうのね。だから点検とかぜったい怠れないし、かなり注意して作業してたの。

そこに仕事のできるH先輩っていうひとがいて、よく組まされていたのね。

昼休憩に食堂で一緒にご飯食べたりして、仲良かったわ。

ある日、ひとりで倉庫にいったら他の先輩に「Uちゃん」って声かけられたの。

「最近Hと組んでるみたいだね。あいつと仕事していて大丈夫?」

「H先輩ですか？　大丈夫ですよ。どうしてですか？」

「あいつね、一緒に組んでいたやつ殺したことあるんだよ。気をつけなよー」

酷いことというでしょ。

私カチンときて「どういうつもりですか！」って、男のひとだったんだけど、胸ぐらつかんで大喧嘩。騒ぎになったもんだから工場長にもH先輩にもバレちゃって。

その帰りH先輩とふたりで歩いてたら「私のせいでごめんね」って謝られて。

どうやら事故があったのは本当みたいで。そのことにずっと傷ついていたのね。

考えてみたらまわりに誰もいなくて、ふたりっきりになったのは初めてだったわ。

「先輩、気にしなくていいですよ。事故なんだから」

「ありがとう。私、こんな話するの、Uちゃんが初めてだけど、一緒に仕事していて死んじゃった子がね、許してくれないみたいで毎晩くるの、私の家に。ひとりで寂しいからって。お祓いみたいなの何回もしたんだけど、変わらなくて困っていて。Uちゃん説得してくれない？　すごい姿になってるから怖くて」

このひと、なにいってるんだろって思ったけど、混乱しちゃって訊いたのね。

「説得ってどうやって？」

「大丈夫、Uちゃんくらいハッキリいえるならできるよ。いって欲しいの」

「なんていえばいいんですか？」

「H先輩より私にとり憑いてくださいって。ちゃんといってあげて。お願い」

顔はこっちみてるけど、目が明後日のほうみて嗤《わら》ってるの、H先輩。

私「イヤです」っていって、すぐ帰ったわ。そりゃイヤでしょ。

あとからみんなに聞いたら、何人かがそのお願いされていて、どうも正気じゃなかったみたい。私が気が強いのみんな知ってたから、Uちゃんならすぐに断れるはずだみたいな理由で組まされたらしくて。

二年近くいたけど、すぐに辞めた。

もうね、つきあってられない。逃げるが勝ちのときもあるのよ、世のなか。

Uさんの話を多くのひとに語り、Y男さんという男性にも聞いてもらった。

ふたりっきりになって初めてわかることありますよね。

それぼくの場合、残念なことに血縁でした。お祖父ちゃんです、父方の祖父。

これね、親父にもお袋にもいってない話なんですけど。

子どものころ仲が良かったんです、お祖父ちゃん。

お祖父ちゃんもいろいろなところに連れていってくれたし、お菓子でもアイスでもなんでも買ってくれるし。夏とか正月とか親父の実家にいくのが楽しみでした。

あれは夏でしたね、お祖父ちゃんと川にいこうっていわれて。

「川？　水遊びするの？」

「いや、あそこは深いからな。釣りだよ。魚釣り」

いったことありませんでしたからね、釣りには。嬉しかったです。

あまり覚えていませんが、流れがあまりない川で。でも大きかった。

小さなボートみたいなの借りて、お祖父ちゃんと一緒にオールで漕いで。

ちゃぷちゃぷ揺れてるのも楽しかった。

あるところまできたとき、お祖父ちゃんが釣り竿用意して。

ひゅっとしならせて針と重りのついた糸をなげる。

遠くで、ちゃぽんッて水面が波紋を作って、かっこよかった。

「Y男。あとはな、こうやって、くいくい動かして魚を待つんだよ」

ふたりでワクワクしながら待ってたんです。

しばらくしたらお祖父ちゃんが「きた」ってリールをゆっくり巻いていきます。

「大きな魚かな？」

「どうだろうな……みておきなさい、Y男」

しばらく左右に動かしたり、リールを巻いたりを繰りかえす。

ゆっくりとボートのほうに近づけて「そろそろか」と竿を引っ張りました。

ざぱッと水面が動いて、糸の先についた指がみえる。そのまま手首と腕、肩と頭がみえて、髪がべっとり顔に貼りついたおんなのひと。

お祖父ちゃんは「わッ」と叫んで、横に置いてあった小刀で糸を切りました。

おんなのひとは、くいッと首を動かしてまた水中にもどった。

ぼくが唖然としているのをよそに、お祖父ちゃんはオールを漕ぎだしました。

「Y男、逃げよう。こっちにくるから」

いわれて、ぼくは水面を凝視しました。

なにか大きなものが軌道を描きながら、こっちにむかってきていました。

お祖父ちゃんの本気オール漕ぎの、速いこと速いこと。

あっという間に陸について、慌ててぼくを抱きかかえて走りだしました。お祖父ちゃんの肩越しに川をみると、少しだけ顔をだしているおんなのひとがいました。

時間差で恐怖がやってきて、泣きだしてしまったのを覚えています。

このときの出来事からお祖父ちゃんが苦手になりましたね。お祖父ちゃんに罪はないのですが、トラウマにでもなったのか、以来ふたりになると怖かったんです。


Y男さんの話を多くのひとに語り、Wさんという男性にも聞いてもらった。


川での出来事なら、こんなことがありましたよ。

私の地元では化石がよくみつかるんです。それを利用したのでしょう、小学校の屋外授業に化石探しがありました。化石といっても地面を掘るんじゃなくて、山にある河原で石を探すんです。けっこうみつかるんですよ。天然石とか珪化木《けいかぼく》とか。珪化木ですか？木の化石です。石に埋めこまれたみたいな、樹皮の模様みたいな化石。

でも小学生の男子ですからね。恐竜やアンモナイトをみつけようと必死でした。

ある日の屋外授業のときでした。

いつものように山の河原にみんなでむかって到着。化石探しがスタートします。川自体は数センチくらいの浅さですよ。溺れることなんかまずありません。けっこうみんなで広がって方々に散っても大丈夫でした。笛が聞こえたら終了の合図なので集合しなければなりませんが、それまでは自由に移動できます。

Bという友だちが「オレたちは恐竜探そうぜ」とかいいだして。

川よりも山のほうへいこうと誘ってきました。もちろん、そっちは禁止なんですが、集合の笛が聞こえるところだったら大丈夫だろうと、私たちはむかいました。

みんなで登ってきた山道のところまで移動して、あちこちにある地面の窪みを探っていきます。木の枝を使ってごりごり掘っていくんです。なにか硬いものに当たる感触があったら、それを掘りだす。もちろん、それは石なんですが、砂だらけで化石かどうかわからない。だから石がでたら、川まで持っていって洗おうと考えてました。

笛が鳴るまで一時間もないので、急いで窪みを掘っていきました。

私は大きめの石をふたつ掘りだしたあたりで、Bくんに声をかけます。

「ふたつ目だよ！　そっちは？」

「え？　はやいなあ。まだひとつもとれてない、なかなかの大物で、深いんだよ」

Bくんは同じ窪みをごりごり掘り続けていました。

「大物か……そっちが大物なら、こっちは数で勝負だっ」

私は次の窪みのなかをがんばって掘っていきました。

四つ目の石をとりだしたあたりで、集合の合図の笛の音が響いてきました。

「ヤバっ、もどらなきゃ。Bくん、いこう」

「ああ、もうちょっとなのに。なんか、大きいのがあるんだよ」

Bくんは窪みのなかに深く腕を入れて、汗だくで作業をしています。

「すぐいくから先にもどっていて。もし先生に聞かれたらトイレっていっといて」

私は石を持って走って河原にもどりました。

先生はすぐに山道の方向からくる私をみつけて「こら」と声をかけてきます。

「山のほうは危ないからダメっていったのに……Bくんは一緒じゃないのか？」

いい訳をしようとしたとき、Bくんが走ってきました。

「すみませーん。オシッコしたくて」

同級生たちがくすくす笑うなか、Bくんは舌をだしてます。

手にはなにも持ってないので、化石はとれなかったんだと思いました。

「もう、仕方ない子たちだな。じゃあ全員いるか確認します」

先生が点呼をとっているあいだ、Bくんに小声で話しかけました。

「ダメだったの？　恐竜」

「恐竜なんかより、もっとすごいのがあったよ。あとでみせる」

そういってBくんはお腹のあたりを、てのひらでぽんぽんと叩いていました。

私は自分の持ってきた石を河原の水で洗いました。残念ながらただの石でしたね。

山をおりて学校にもどり終礼をすませたあと、Bくんと下校しました。

「ね、Bくん。恐竜よりもっとすごいのって、なんだったの？」

「ちょっと待って。まだみんないるから」

しばらく歩いて田園が広がる道までくると、Bくんは服をめくりました。

ズボンの紐のところに、なにか入ってます。

「Bくん、それなに？」

「お宝だよ。誰かが隠したお宝みつけたんだよ」

そういってズボンから抜きとったのは、黒い筒のようなものです。

「わ！　なにそれ！」

「剣だよ、これ。化石かと思ってたら剣がでてきたんだ」

そのころは言葉を知りませんでしたが、それはサヤに入った小刀でした。

なぜかあんなところに、古い小刀が埋めてあったんです。

「すっげえ！　その剣、抜いてみてよ」

「うん。抜くよ。ふんっ、あれ？　抜けない。ふんっ、ふんっ！」

サヤのなかの刃が錆びていたのでしょうか、小刀は抜けませんでした。

むこうから自転車に乗った駐在さんがきたので、Bくんは小刀を隠しました。

「まあ、いいや。父ちゃん帰ってきたらこの剣、抜いてもらう」

「うん、抜けたらみせてね。じゃあ、また明日！」

そこでBくんと別れて、私は家に帰りました。

彼がうらやましい気持ちもありましたが、それよりも剣がみつかったこと自体が私を妙に高揚させました。つまり探せば他にも宝があるかもしれないという事実、自分にもチャンスがあるんだという期待が、わくわくさせたんだと思います。

私は興奮してなかなか眠れず、次の屋外授業が楽しみでした。

でもその夜、とんでもないことが起こっていたんです。

Ｂくんのお父さんが、Ｂくんとお母さんを刃物で刺して逃走したんです。

私は朝登校すると呼びだされて、教師と警察にＢくんのことを訊かれました。

なにがあったのかをそこで知らされてショックを受けました。

警察のひとから「昨日、Ｂくんと一緒にいたでしょ。なにかいってなかった？　お父さんと仲が良くないとか」といわれましたが、小刀のことは話しませんでした。

Ｂくんのお父さんはその日の昼ごろ捕まりました。泥だらけの姿だったそうです。

とり調べに対して「凶器を埋めにいった」といっていたらしいのですが、犯行に使われたのは台所の包丁で、それは家で発見されています。他にも意味のわからないことをいっていたらしく、犯行の動機がわからないことから、精神鑑定を受けることになったそうです。Ｂくんとお母さんは重傷でしたが一命はとりとめ、退院と同時にどこかへ引っ越してしまいました。ですので、私もＢくんに逢っていません。

あの小刀のことは誰も知らないようでした。私はいまでもときどき「父ちゃん帰ってきたらこの剣、抜いてもらうよ」と笑っていたＢくんを思いだします。

Ｂくんはお父さんにサヤから小刀を抜いてもらったのでしょうか？

そしてその小刀はいったいどこへいってしまったのでしょうか？

それはわかりませんし、あの事件から私は化石掘りどころか、山にいくことが苦手になってしまいました。あれから何度か屋外授業はありましたが、山道の窪みを調べることはありませんでしたし、近づきたくもありませんでした。

ただ、Ｂくんのお父さんが捕まったのが、住んでいた村から離れた新興住宅地だったのが気になります。当時あそこはまだ開発途中で、家を建てる準備をしているところでした。私は、どこかの家の床下に小刀が埋まっている気がして仕方がないんです。

これは怪談社の妙な遊びである。

まず選んだ怪談Aを聞かせていき、聞き手から新たな怪談Bを手に入れる。今度は怪談Bを次の者に聞かせて、新たな話が手に入ったらそれが怪談C。怪談Cを聞かせて怪談D、怪談Eと聞かせる怪談を変えていく。いくつか変わっていったとき、なぜか最初の怪談Aに似た話が聞ける——というもの。

考案した者の名前を入れて「柳あそび」とでも名づけておこう。

この遊びはいくつか条件があり、それを守らないと意味がない。まず怪談に興味のないひとに聞かせること。複数人同時に聞かせず、必ずひとりずつに聞かせること。この「柳あそび」をしていることを話さないこと。ひとりずつ聞かせるため、何日もかけて行うこと。この条件を入れることによって、作為的に運ぶのを防げる。

前述した怪異談の羅列は、残酷なものが入ってしまったため二話ほど割愛している。

それでも最初の話に近い怪談が入手できたので、手ごたえのあるものとなった。

あくまで自己満足の遊びだが、怪談を集めているひとは試してみるといい。

怪談好きが好む言葉のひとつに「怪を語れば怪至る」というものがある。「鬼を語れば怪至る」が正しいのだが、この遊びもそのひとつである気がして止まない。かかわれば、むこうからやってくる事象や因縁も充分あり得る。

皆さまが良き縁を紡ぎ、悪しき縁を切ることを祈りたい。

橋の上にて

私が幼稚園に通っていたころの話です。といっても私自身はまったくそのときのことを覚えていないので、のちに母から聞いた話ですが。それでもよろしいですか。

幼稚園には母が自転車で連れていってくれていました。自転車のうしろのシートに私を、前の補助席には幼い妹を座らせていました。毎朝、大変だったと思います。

幼稚園までの道中、妹のようすが変だったって母がいうんです。

ばたばた両手を動かして、やたら暴れる。

危ないからじっとして。母がそういっても、いうことをきかない。しばらくすれば治まるのですが、毎日それを繰りかえすので、そのうち母も気づいたんです。

妹が暴れるのはいつも決まって同じ場所、橋の上を通過しているときだって。

さらに暴れるとき妹は、いや、あっちいってッ、となにもない方向にむかって手をバタバタ動かす。妹にはなにか視えているかもしれない。そう母は思ったそうです。

でも、それもしばらくしたら、なくなってしまった。

思いだすと、あの時期はなんだったんだろうといまでも不思議になるそうです。

その橋、地元のひとはよく知っているんですが——戦時中、空襲で被害がでたとき、酷いことになったので有名なんです。浮いた死体で川の水面が埋めつくされたって。

やっぱり妹には、戦時中に亡くなったひとたちが視えていたんですかね。

想像力が豊かな子どもが、夢想して遊んでいただけという可能性も否めない。

しかし、子どもの奇妙な行動でこんな例があるのも事実だ。

ある保育園で勤めだした保育士が、子どもたちの妙な行動に気づいた。

園内のお庭（グランド）で遊んでいるとき、数人の園児が紙コップに水を汲んで木陰に持っていく。花に水をあげているのかと思った保育士がようすをみにいくと、ただ木の根元に紙コップを並べているだけだ。なぜこんなことをしているのか訊いてみると、独特の口調で「あちゅくて寝ている子、かわいそうだから」と答えた。

意味がわからなかったが、あとで他の保育士に尋ねると「最近はないけど、むかしはよく熱中症になった子をあそこで休ませていたのよ。誰か死んだわけでもないのに。あの子たちには、なにが視えているんだろ？」と首をひねっていた。

一年に数度、季節を問わず同じような行動をとる園児が現れるらしい。

過去にあったことを的中させているようで興味深い話である。

問題の橋――東京にある吾妻橋《あつまばし》という名称だが、確かに戦時中その付近一帯の被害は酷いことになったという記録が残っている。実際に現場周辺で取材をすると、死体で水面が埋まったのを目撃したというご老人たちから話を聞くこともできた。

ただ体験者の妹が本当に視えていたとしても、それが空襲で亡くなったひとだと断定するのは早計である。なぜなら近辺に住む高齢の男性はこのようにいっていた。

「この橋は戦前よりもずっと前、江戸時代から身投げで有名な場所だったと聞いています。戦争で大勢が亡くなる前から、この橋には死が染みついているんですよ」

失神

中学の放課後、教室に残って友だち数人としゃべっていたんですよ。

流行っていたお笑い番組の話題や芸人のモノマネとかして。けらけら笑ってたら、教室の端にいたグループが「じゃあいくぞ、えい！」って声だして。

なにやってんだろうって、みんなでみてたら、壁に背中をつけて立っていたひとりが顔を真っ赤にして真横に倒れて。

「うおっ、ホントだ、すげえな！」

えらく興奮してて。え、なになに？　って思って近づいていって「なにしてるの？　お前ら」ってみたら、倒れてたやつが起きあがって。

「ほおおっ、すげえな。めっちゃ怖かった！」とか叫んでるんです。

「なにしてんの？　いま倒れてたよね？　大丈夫か」

「失神ゲームだよ、知らねえの？　次、誰いく？」

ひとりが手をあげて「オレいくわ。ぜったい耐えてみせる！」って前にでる。

「よっしゃ、じゃあ壁に背中つけて、しゃがんで。さっきと同じようにして」

しゃがんだそいつ「はふっ、はふっ、はふっ」って声上げながら息荒くして。

「はい、息吸いながら、壁に背中つけたまま立って、そのまま息止めて！」

そいつ、いわれた通り「すうー」って息吸いながら立って、頬を膨らませて息止めたんです。

別の男子が「はい、いくぞ！」ってそいつの胸を両手で体重かけて押して。

ものの数秒でそいつ、白目剥いて横に引っくりかえったんです。

まわりのみんな「だっははははは！」って大爆笑。

倒れたやつはすぐに起きあがって「抵抗できねえ！」と汗かいてました。

「え？　なにそれ？　なんなのこれ？」

「だから失神ゲームだって。息止めてるときに両胸押したら、脳に血がいかなくて失神しちゃうんだよ」

ぼくはそれを初めてみたので「マジで？」って興奮しちゃって。

「そんなのあるんだ。じゃあ、オレもやってよ」

「お、チャレンジャーきたぞ。じゃあ、しゃがみこんで同じようにやって」

同じように息を切らせて吸いながら立ちあがり「いくぞ！」と胸を押される。

ぐッて苦しくなって顔が熱くなっていくのがわかりましたね。

すぐにまわりが真っ白になって――気がついたら床に倒れているんです。

慌てて立ちあがりました。

「うお、なにこれ！　苦しいけど、なんか気持ちよかったかも」

こいつ、ヘンタイだってみんな笑ってました。

妙に興奮して騒いでいたんです。ふと壁にかかっている時計をみて「やべっ、塾の日だったわ」と思いだし帰りました。

「おう、またな。じゃあ次、誰いく？」

あいつらはまだやる感じでしたね、失神ゲームを。

家に帰って急いで着替えていたんです、二階にある子ども部屋で。

小学二年の弟が子ども部屋のソファで寝転がってゲームしてました。

「お兄ちゃん、お帰りー。今日塾じゃないのー」

「ああ、そうだよ。だからいま着替えてるの、超特急で」

ピコピコとゲーム音させてる弟をみて、うらやましいなこいつは、とか思って。

「あ、そういえばさ、お前失神ゲームって知ってる」

「しっしん？　しっしんてなに？」

「失神ていうのは……っていうかやってやるよ。こっちきな。ゲームだよ」

弟はゲームと聞いて「え？　なになに？」と嬉しそうな顔で立ちあがりました。

「このソファの横に立って壁に背中つけて」

「こう？」

「そうそう。そんで息止めて。胸押すからそのまま息止めとくんだぞ。せーのっ」

ぼくはちからいっぱい弟の胸を、体重をかけて押しました。

同級生たちと同じように弟は顔を真っ赤にして「ぐっ」と唸り、ソファに倒れる。

それみて笑ってから「じゃあいってきまーす」と塾へいきました。

一時間半くらいして「ただいまあ」と帰宅しました。

「あら。おかえり。もうちょっとしたらご飯だからね」
母親にいわれて「はーい」と返事し、部屋へカバンを置きにいきました。
弟はソファで寝転がっていたので「ただいま」と声をかけて、あれ？
思わず動きを止めて弟をみたんです。
これって失神させて倒れたときのポーズのままじゃん。
てか、どうしてこいつ……こんなに肌の色が紫なんだ？
じっとみてたらなんか怖くなって「お、おい」と手を伸ばし躰を揺さぶりました。
がくがくと頭が小さく揺れるだけでなんの反応もないんです。
顔をソファに押しつけて倒れたまま動かない。
そっと横顔をみたら、口を開けて目が開いたまま、だらッとした表情で。
「え……なに？」
ゲームもつけたままだし、あれからずっとソファで寝てたってこと？
同じ態勢のまま、まったく動かずにずっと？
こいつ、息してないよな、これ？　うん、やっぱり息してないわ。
え？　なんで？　なんで？　なんで？　なんで？　なんで？

混乱したぼくは「トイレ。トイレいきたかったんだよ、オレ」とひとりごちると、用を足して部屋にもどって弟をみていました。さっきとまったく同じです。

(あ。手も洗わなきゃ。ちょっと眠いけどもうご飯だし)

そう思って洗面所にいき手を洗ったついでに顔も水で濡らしました。

鏡でみた自分の顔が二重にみえて、くらくら眩暈がします。

また部屋に戻って弟を見下ろしていると、玄関が開く音が聞こえてきました。

「ただいまあ」

父親が帰ってきましたが、もしかして弟はもう帰ってこない?

「おかえり。もうご飯できるからね」

「お、今日はハンバーグじゃん。ちょうど食べたかったんだよね、ハンバーグ」

ハンバーグかあ、お前の大好物じゃん、そろそろ帰ってきたらよくね?

足音が聞こえてきて、父親が近づいてくるんです。

いまぼくがいる部屋の隣でスーツとか脱ぐから。この部屋みたらコレに気づく?

ぼくは慌てて床に置かれていた服をソファの上に置いていき、死体を隠しました。

父親は部屋の前を通りかかると「おう」と声をかけて立ち止まりました。

「帰ったぞ。母さんが、そろそろご飯できるってさ」

「うん、わ、わかった」

父親は部屋をみて「ん？　あれ？」と首をひねるんです。

「ど、どうしたの？」

「あれ？　もしかして止まってるのか？」

「な、なにが？」

父親は部屋に入ってきて、机の上に手を伸ばしました。

「時計だよ。秒針、動いてないじゃん」

「え？　ああ、時計か」

「いま止まったばっかりだな、これ。電池入れとくよ」

「あ、ありがと」

そのまま時計を持って「ご飯だから降りてこいよ」と部屋をでていきました。

もう間もなく、弟のことがバレて大騒ぎになるのに、食欲なんかあるわけない。

リビングのテーブルに座ると父親と母親が「いただきます」と手をあわせます。

ちょうどテレビでゴールデンタイムの番組が流れていました。

「このひと最近よくでてるよなあ」

「人気あるみたいよ。今度映画もやるみたいだし」

「そういえば映画館も最近いけてないなあ。今度の休みいってこようかな」

「なに観たいの？　あのアクションのやつ？」

父親と母親のどうでもいい会話を聞きながら、ぼくは呆然としていました。

弟のぶんの食事が――いえ食事どころか、席がないんです。

食事が終わってお風呂に入り、パジャマに着替えました。

「あれ？　もう寝るの？　はやいね、珍しい」

「うん、なんか疲れた」

「ちょっと変よ、ぼーっとしちゃって。熱でもあるんじゃないの？」

「そうかも。はやく寝るよ」

ぼくは部屋にもどると、ソファの上の服の山をみていました。

「おい、もう寝るぞ」

返事があるとは思えませんでしたが、声をかけてベッドに入りました。

「おやすみ」

朝になって起きて登校しました。

「おはよ！　お前ラッキーだね。昨日いいタイミングで帰りやがって」

「オレたち教頭にみつかって、めちゃくちゃ怒られたんだぜ」

「なんかさ、失神ゲームって危ないらしいのよ。死んだひともいるとかでさ」

「あんなので死なねえよな普通。あのオッサン、ブチ切れまくりやがって」

「海外で子どもが死んだんだよ。あんなの子どもにやるワケないだろっつーの」

学校が終わると家に帰りました。

「部屋片づけといたからね。アンタちゃんと洗濯物カゴに入れないさいよ」

「お、今日のご飯は野菜炒めか。牛肉か。牛肉入ってると美味いよなあ」

「もうすぐ試験でしょ。寝る前にちょっと勉強しなさいよ」

ベッドに入って寝て、また朝になりました。

「おはよ！　お前聞いた？　Ｂ組のあいつら、つきあってるらしいぞ」

「はい、今日はアルコールランプを使うので皆さん、ふざけたりしないように」

「お前、弁当にいつもタコウインナー入ってるな。でもタコウインナーは最強」

「最近、上の学年の生徒が他校ともめたりしてるけど、かかわらないようにな」

家に帰ってご飯食べて。

「お、今日はオムライスじゃないか。チキンライスのオムライス、いいねえ」

「寝る前に歯を磨くのよ。今日虫歯が怖いって番組やってたんだから気をつけないと」

寝て起きて学校いって、帰ってきてご飯食べて、寝て起きて。

「はい、この問題わかるひといますか？　ぜったいに試験にでるからね、ここ」

「今日帰りに自転車でゲームセンターよっていかない？　新しいゲームで面白いのが」

「お、今日は炊きこみご飯かあ。母さんの炊きこみご飯は、じゃこところにゃくが」

「あんた部屋のソファの横の壁どうしたの？　手形みたいなのがついて汚れちゃって」

「おはよ！　昨日のコントのテレビ観たかよ、あれ最高、オレめちゃくちゃ爆笑して」「今日のご飯は」「歯を磨いて」「おはよ」「弁当のおかずが」「テストを始めます」「昨日の番組」「告白したらしいぜ」「今日のご飯は」「洗濯物を」「おはよ」「教頭がさ」「自習の前に」「赤点じゃん」「おかえり」「今日のご飯」「勉強しなさい」「お兄ちゃあん」

「ただいま。病院いってきたわよ。暑かったわ。もうすっかり夏ね」

「おかえり。元気してたか、あいつ。どうだった？」

「うん。まだ先生に弟がいたとか妄想いってるみたい。私にはいわないのに」

「……そっか。でも前みたいに混乱してるワケじゃないんだろ」

「そりゃそうだけど……ホント回復するのかしら。もうすぐ二十歳よ。入院何年目？」

「あのさ、前から聞こうと思ってたけど、あいつってひとりっ子だよな」

「は？　あなたまでなにいってるの？　冗談はやめてください」

「いや、冗談じゃなくて。このあいださ、初めて気づいたんだけど……子ども部屋の柱に、背比べの跡があるんだよ。兄弟ふたりぶん。あれっていったい、なんだろ？」

弟がいたと思いこんでる可能性も否めない——というより普通に考えれば、そちらのほうが可能性としては高いだろう。

この「存在が消える」という怪談もいくつか他で聞いたことがある。問題は「いたと思っている」や「消える」ことよりも、存在した形跡が微かに残っていることだ。

この家でも背比べの跡以外に、画用紙に書かれたたくさんの絵がでてきたらしい。

他の例を短く挙げるなら、次のようなものがあった。どういうことなのだろうか。

存在の消えた学生を探してあいうえお順の名簿をみると、ひとつだけ空欄だった。

存在の消えた娘の部屋を片付けていると手紙がでてきた。

存在の消えた彼氏を諦めかけたら、指輪の裏側に名前が掘られているのをみつけた。

錯乱した霊

心機一転、引っ越しをした部屋で眠った最初の夜のことです。

深夜、目を覚ましたら見知らぬおんなが、ぼくの顔を覗きこんでいたんです。

驚いて起きあがろうとしたのですが、躰がまったく動かず声もだせない。

おんなはまばたきもせず、こちらをみつめていました。誰かから、こういうときはこころのなかでお経を唱えたらいい、そう聞いたことがあったのを思いだしました。

頭のなかでお経を唱えながら、頼むから消えてくれ、そう念じました。

本当に効果があるんですね、おんなは消えました。同時に躰も動くように。すぐにベッドからでて、電気をつけました。怖かったので心臓がばくばく鳴っていました。

そして翌日の昼間、雑誌を読みながら、うとうと眠っていました。気がついたら陽が落ちかかっていて、ベランダの窓から夕陽が射しこんでいます。逆光で最初はわかりませんでした。カーテンの端におんなが立っていたのです。ぼくは声をあげようとしましたが、やはり躰が動きません。顔がハッキリと見えたわけではありません。でも昨夜のおんなだと思いました。おんなは、じりじりと、ぼくが寝ているソファに近づいてきました。ぼくは再びこころのなかでお経を唱えました。昨夜と同じように消えて、躰の自由ももどりました。でも消える寸前におんなは、ころしてやる、そうつぶやいたんです。

その後も、そのおんなは現れました。
現れるときは同じで、眠っていたら金縛りになり、目を開けるとおんながいる。ある夜は部屋の隅で爪をかんでこちらを睨んでいました。恨めしそうな表情で。ある昼間は、部屋を歩きまわっていました。無性にイライラしたようすで。別の日には、なんといっているか聞きとれませんでしたが、ブツブツつぶやきながらカーペットを引っ掻いていました。カーペットにその痕跡はありませんでしたが。

ぼくはおんなが現れるたびにお経を唱えていました。

現在は部屋の壁に、お寺でもらってきた御札を貼っています。

その甲斐あってか、おんなが出現する頻度はずいぶん減りました。

彼女はなんなのでしょうか。襲ってきそうな雰囲気はあるのですが、いつも睨んでくるだけで、なにかされたわけではありません。放置しておいていいものでしょうか。

のちに体験者に送ってもらった住所を、事故物件サイトで調べた。

しかし、そのマンションでなにかが起こったという記述はまったくなかった。


それよりも気になったのは、最初にある「心機一転」という言葉である。体験者はなにかの事情で仕事を辞め、新しい土地に引っ越してきたばかりではないだろうか。精神が病んでいたり疲れていたり、または躰の調子が悪いときには悪夢をみたり金縛りが起こったりするものだ。

私の知りあいに肩がこると右目の視界端が暗くなるという男がいる。そこだけモヤがかかったようになり、ぐにゃぐにゃ動いて暗い範囲を変えながら、ずっと影のようなものがみえているそうだ。もう何十年もつきあってる症状なので慣れたものらしい。

私の邪推ならいいが、体調不良からくるものなら、ゆっくり休んで欲しい。

それでもまだ妙なおんなを視たり、金縛りが起こるなら家主や不動産屋、あるいは近所の住人たちに、その部屋で過去に事故や事件がなかったかを尋ねるべきかもしれない。なぜならば事故物件サイトは投稿制なので確実ではない。なにも載っていなかったからといって安心はできない。関係ないかもしれないが、その町内（詳細な住所は不明だった）で起こった、凄惨な事件の記事のタイトルを記しておく。

「母親　薬物による錯乱で子どもに暴行後、自殺」

徳のひかり

十年以上前ですけど、旅行会社の企画で面白いツアーがあったんですよ。

観光で○○山のお寺に泊まって、精進料理を食べ、お坊さんの説法が聴ける。

ああ、こんなのあるんだ。そう思って予約しました。でも、いざいってみたらツアーの客が他に誰もいなくて。ぼくひとりだけ。うわ、これマジですか。そう思いながらも帰るわけにもいかない。一泊二日、お坊さんとマンツーマン。

いや、いいところではあったんですよ。空気も澄んでいたし。でも寺院が集まった山ですからね。娯楽的な店なんてないし。精進料理だけで酒も呑めない感じです。

食事後、いよいよお坊さんの説法が始まって。テーマは徳とはなにか、みたいな。

正直よくわからなかったです。まあ、生きているあいだに善い行いっていうのは自分にちゃんともどってくるから、信じてガンバレ。そんな内容だったと思います。語り終えたらお坊さんが尋ねてきたんです。なにか質問はありますか、って。少しふざけた質問をいくつかしたら、笑ってくれて雰囲気が変わりました。それまではちょっとピリついていたんです。多分あちらも、ぼくがどんなひとなのかわからないから、きっと探り探りに接しているところがあったんでしょうね。だんだんふたりで説法とはぜんぜん関係ない話が始まって。変に盛りあがっちゃって。下ネタもバンバン飛び交って。そのうちお坊さんも立ちあがって台所から日本酒の一升瓶持ってきて。煙草吸いながらふたりで呑んでました。もはや愚僧ですよね。けっこう夜更かしして寝て、起きて朝食を食べて。送迎バスがくるまでお坊さんとおしゃべりして。またきますね、と別れて。結果、楽しい休暇にはなったんです。

後日、居酒屋で友人と食事しながらツアーの話をしたんです。そこで写真を携帯で撮ったことを思いだして友人にみせたんです。ほら、これがそのお坊さんだよって。なんか、ひかってるね——このひとの顔。そういわれて改めて写真みたら、青い点々みたいなひかりがお坊さんの顔と周辺にだけ集まっているんです。まるで心霊写真のように思えましたが怖い感じじゃなくて、なんかちょっと神々しさがあったんです。

ああ、あのお坊さん。やっぱ徳をつんでいるひとだから、こういう写真撮れたんだ。

ぼくはそう思って、写真にしばらく見惚れていましたね。

お勧めのお寺なんで、今度遊びにいってください。そのお坊さん、面白いですよ。

写真にそのひとの人格や状態が写る話はいくつかある。

私がみたことのある不思議な写真をピックアップするなら、次のようなものだ。

集合写真で、ある男性だけ背中から後光のようなひかりがでている写真があった。その男性はボランティア活動に尽力しているかたで、まさに人格者だと聞いている。

あるカップルがくっついて並んでいる写真は腹部が桃色のひかりで繋がっていた。彼らは気づいていなかったが実はこのとき、彼女は妊娠していた。桃色のひかりはみようによってはハートの形にもみえた。

パワースポットで写真を撮ったら、観音さまが立っているのが写っていた。そうとうハッキリ写っていたので私を含め、その場にいた全員が驚いた。そして同時にその観音さまを疑ったが、写真を撮ったKさんという女性はウソをつく性格ではないことも全員わかっていたので、首をひねるばかりだった。

住職の写真を、野暮に追及するならば、電灯や太陽、斜光の影響と片付けることはできるだろう。そうであったとしても、写っているひとの内面が浮きでているようにみえるのだから、やはり不思議なものである。

それはそうと——住職の顔に映っていたという青いひかりは、本当に神々しいものだったのだろうか。この話の提供者は写真に写っていた青いひかりを、徳をつんだ者に現れるひかりとして認識したようだが、実際のところそれはわからないし、正直、疑問に思えて仕方がない。なぜならこの住職、この話からしばらくして婦女暴行で逮捕されているのだ。

冗談でいっていた愚僧という言葉は、まさにその通りだったのである。

優しい子ども

Uさんという男性の体験談である。

コロナ禍に入ってからというもの、自宅ワークが主流になっていた。

もちろん不慣なこともあったが、いままで満員電車に揺られていたのはなんだったのかと思うほど、Uさんにとっては心地よい生活になった。

昼前になると、妻は介護のために近くの実家にもどっているし、娘たちは学校だ。家はマンションの五階にある3LDKなので、昼間になると広々としたリビングで誰にも邪魔されず、ゆっくりランチが食べられる。ときには退屈して自ら掃除機をかけたり、トイレやお風呂の掃除をするほど余裕があった。

あるとき、他社とZOOMの打ち合わせを終えて、会社からの連絡を待っていた。

午後三時ぐらいだったという。ランチで食べきれなかったハンバーガーをほおばり、リビングの窓から外を眺めていると、小学生たちが下校してくる姿がみえ始めた。

朝は集団登校なのに帰りは各々帰るんだな、この付近の学校は。

そんなことを考えていると、ふとひとりの小学生に目がいった。体操着で帽子をかぶり、ランドセルを背負っている。ふくよかな体形の可愛らしい男の子だということが遠目でもわかった。

男の子はハイツの駐車場に入ると、ブロック塀にむかってしゃがみこみ、ごそごそしている。ポケットからなにかをだしたようだが、ここからではよくみえない。

（なんかイタズラでもしてるのか、あんなところで）

男の子は一分ほどすると立ちあがり、まわりに誰かいないか確認してその場を去った。なにをしていたのだろうと不思議に思ったが、ちょうど会社からの連絡がきたので仕事にもどっていった。

数日後、また同じような時間帯に手が空いたので、窓から外を眺めていた。

すると、あの男の子が現れてハイツの駐車場へ入っていき、ブロック塀にむかってなにかをしてる。動きから察して、前回と同じことをしているようにみえた。

後日、そのまた後日も男の子を窓からみたので、さすがに気になってきた。

ある夜、夕食後に娘が「アイス食べたいな」とつぶやいた。Uさんは「オレ、煙草切れたし、コンビニついでに買ってきてあげるよ」とソファから立ちあがった。

「どんな味のアイスがいいの。バニラとかチョコとか」

「ん……なにがあるかみたいかな。私もいく」

コンビニからでたあと、ふたりでアイスクリームを食べながら歩いていた。

例の男の子がいたハイツ、その駐車場前でUさんは足を止めた。

「ごめん。ちょっとこの駐車場、みてもいいか」

「どうして。車でも買うの？」

「いや、そういうワケじゃないんだけど……気になることがあって」

Uさんは食べ終わったアイスの棒を手持ち袋に入れると、娘と駐車場に入った。

娘に事情を説明しながら、いつも男の子がいるブロック塀の位置を探した。男の子のことをきいた娘は、まだアイスを舐めながら「ふうん」と興味のないようすだ。

「んん……この辺のはずなんだけど、どこだろ？」

「お父さん……あれじゃないの？」

娘が指さしたのは真ん中あたりのブロック塀の下、地面の部分だった。

そこに小さく「おはか」と書かれた石が置かれてあった。

Uさんは「こんなところにお墓なんか作るか、普通」と否定的なことをいいながらも、子どものころを思いだしていた。飼っていたハムスターや金魚が死んだとき、空き地や公園の隅、土があるところに亡骸を持っていき泣きながら埋めた記憶だった。

「きっとその子って優しい子。毎日、学校の帰りにペットのお墓参りをしてるのよ」

娘が少し悲しそうな目でUさんにつぶやいた。

確かに石のまわりには、どこかで千切ってきたのだろうと思われる、小さな野花がいくつも並んでいた。枯れたものもあれば、まだ新しいものもあった。

Uさんは「……帰ろうか」と静かにため息をついて、娘と駐車場をあとにした。


その日、Uさんはパソコンを使いながら部下たちと電話で打ち合わせをしていた。

「あ、ごめん。おれちょっとマウスの電池が切れたみたいだわ」

「大丈夫っすよ。一時間くらいしたらかけなおします。昼ごはんもまだでしょ」

じゃあ続きはあとで、と通話を切り、Uさんは電池と食事を買いに外にでた。

コンビニでおにぎりとお菓子、単三電池を買ったUさんが歩いていると。

(あ。あの子だ。もうこんな時間だったのか)

もう小学生の帰宅時間だったらしく男の子が駐車場に入っていく。

Uさんも駐車場に入って、しゃがんでいる彼のうしろに立った。男の子はUさんに気づいておらず、ポケットから小さな花をだして石の前に置くと手をあわせた。

「偉いね。お墓参りしてるの?」

声をかけると男の子は驚いたようすで、立ちあがった。

「びっくりしなくてもいいよ。あ、そうだ。お菓子いるかい?」

買ってきたお菓子を男の子に差しだすと、彼は「ありがとう」と受けとった。

「おじさんも子どものとき、飼ってたペットのお墓作ったんだ。でもキミみたいに、ちゃんとお墓参りはしなかったな。これはなんのお墓なの? 金魚? ハムスター?」

男の子はさっそく封を切ったお菓子を食べながら「パパのね、赤ちゃん」と笑った。

「あのね、先にね、お墓を作ったほうがね、いいっていわれたから作ったの」

意味がわからず、Uさんは「んん?」と変な声をだしてしまった。

「もうすぐ死ぬパパの赤ちゃんのお墓だよ。おじさん、窓からみすぎ。ばいばい」

男の子が駐車場を去ったあとも、Uさんはそのまま立ちつくしていた。

すると「ふうー、ふうー」という声と共に、足音が聞こえてきた。

ブロック塀のむこう、ハイツの通路をかなりゆっくりと歩いてくる女性。

ちょうどUさんがいる位置までくると女性は、こちらをみて軽く会釈をした。

カバンから鍵をだして、玄関の鍵穴に差しこむ彼女は妊婦だ。部屋の玄関ドアのすぐ前にあるブロック塀。そのブロック塀のちょうど反対側に「おはか」と書かれた石。

その石から糸のような細い煙が立ち昇りはじめた。

女性がドアを開けた瞬間、細い煙は方向を変えて女性の部屋にむかっていく。

（なんだ……どうして煙が勝手に）

女性がドアを閉めると、煙は離散して消えていった。

（赤ちゃんのお墓、妊婦の住む部屋？　これは……呪い？）

Uさんの頭のなかにあの男の子の声が繰りかえされる。だが、どうしても「先にお墓を作ったほうがいい」と「もうすぐ死ぬパパの赤ちゃん」の意味が理解できない。

（赤ちゃんって、いまの妊婦のことか？　なぜ？　パパの赤ちゃん？）

そして「窓からみすぎ」という発言から察して、ずっとUさんがみていたことを、あの子は知っていた、つまり家がバレているということだ。

（その前にあの子は「先にお墓を作ったらいい」と誰にいわれたんだ――）

なにか背中に冷たいものが走った。

ふりかえると、背の高い見知らぬ中年女性が包丁を持って立っている。

その足元には帰ったはずの男の子が「ママ、このひとだよ」とUさんを指さす。

「あそこの窓からみて、ぼくの邪魔するひと。このひとのお墓も作ろうよ」

この体験談はかなり長い話になっていくので、割愛させてもらった。

大雑把にまとめると、この親子が呪っていたのは父親の愛人。Uさんは女性を助けるために親子のことを報せたのち、今度はUさんがストーカーされてしまう。男の子が宣言した通り、きっちりUさんと娘さんの「おはか」も作られてしまうのだが——。

現在は解決し、落ちついた生活をとりもどしているので安心していただきたい。

何気なく窓から眺めていただけで、とんでもないことになっていく体験談。ささいなことが本物の地獄の始まりという、映画のような話が現実にあるから恐ろしい。


この体験談では、お墓を模した石が、呪いを飛ばす中継のような役目を果たす。

だが、そのような呪いは存在しない。基本的に呪いは相手に「誰かから呪われている」ということを伝えなければならない。プラシーボ効果（暗示や思いこみのせいで現実に効能が現れるシステムのこと）が現れないからだ。先に墓を作ったところで本人に認識させなければ、ただの陰湿なストレス解消になってしまう。

似たような儀式を強いてあげるならば「予祝」というものがある。

その年の豊作や成功を先に祝う祭りのことで、未来に起こることを、過去すでに起こったことのように振るまうことだ。夢の引き寄せの法則みたいなもので、身近にある予祝を挙げるなら前祝い（イベントごとなどの打ち上げを最初にもやること）や花見、盆踊りなどがある。

それの逆バージョンといえるのが、この話に登場する親子のやっていることである。あえて名前をつけるなら予祝ならぬ「予呪」だろうか。

皆さんには予祝をお勧めする。

実際に人生を良い方向性に変える可能性が高い考えかたでもある。

予呪はお勧めできない。

ひとを呪わば穴ふたつ。一度やってしまったら最後、壮絶な最期をむかえるだろう。

この歪んだ親子のように。

素敵な出逢い

二十数年くらい前、携帯だったかPHSだったか、忘れちゃいましたね。プリペイドカードとか使って話せるようにしていた気がするんで……だったらPHSかな。

夜、遅い時間に漫画読んでいたんです、ワンルームマンションの部屋で。

そしたら電話かかってきて。知らない番号から。

こんな時間に変だな、誰だろうとは思いましたが、でてみました。

「もしもーし。誰？」

「……あの、もしもし。ちょっといいですか？」

聞いたことのない女性の声なんです。

おんな友だちとかあんまりいなかったので、驚きつつも対応しました。

「私、ぜんぜん知らないひとなんです。適当に番号押して、話相手を探してます」

なんじゃそりゃと思いつつも「あー、そうなんだ」とか答えて。

「もし、おヒマでしたら、ちょっとお話とかできますか？」

「ああ、別にいいですよ……変わった人ですね。いわれるでしょ？」

「……いわれます、ふふ。ありがとうございます。優しいひとで良かったです」

こんな感じで通話が始まりました。いまじゃ考えられませんよね？

「なにしてたんですか？」「どこ住んでいるんですか？」「仕事なにしてるひとですか？」

「漫画読んでたよ」「東京都内。南阿佐ヶ谷ってところ」「貧乏なフリーターだよ」

むこうが訊いてくる質問に答えて、こっちもいろいろ尋ねました。

「いま何歳なの？」「もしかして大学生とか？」「電話かけたの、オレで何人目？」

「二十三」「工場でバイトしてます」「三人目。最初のふたりには切られちゃいました」

最初は質問ばっかりだったんですけど、そのうち盛りあがっちゃって。

まとめると、彼女は田舎のほうに住んでいて同じことの繰りかえしの日々。遊びにいくところもなければ出会いもないし、実家暮らしをやめて違う土地で暮らそうか悩んでいたけど、それを相談するひともまわりにいない。なんとなく携帯を持ったはいいけど、かける相手もいないので、まさかの適当に番号を押して話し相手を探した。

改めて説明すると、やっぱり変人ですよね。

でも、こっちの冗談によく笑ってくれるので、なんかオレも楽しくなって。

気がついたら外は明るくなってきていました。

「ごめんなさい。こんな時間までお話につきあってもらって。そろそろ切ります」

「ああ、いいよ。よくわかんないけど、オレも面白かった」

大きなアクビしちゃったのを察してくれて、電話を切る流れになったんです。

「あの、もしよければ……ヒマな夜とかに、またかけてもいいですか？」

「別にいいよ。こっちも夜ヒマだし。土日はバイトで零時まで電話でれないけど」

「電話番号、教えてもらっていいですか……適当に押したので、わかんないんです」

「リダイヤルの番号、登録したらいいんじゃないの？」

「あ、そうか……ごめんなさい、ぜんぜん携帯の使いかた覚えてなくて。ふふ」

「オレ、Dっていうの。名前、教えてよ」

これがTちゃんとの出逢い……というか、最初の通話だったんです。

それからも三日に一度くらいのペースかな、Tちゃんは電話をかけてきました。彼女は週に何度か工場にバイトにいって、残りの日は親がやってる農作業、畑を手伝っていました。若いのに演歌ばっかり聴いてやたら詳しいので年齢詐称してると思いましたが、まわりにCD屋がまったくないとか。

まあ、ほとんど都会にはでたことがなくてミーハーな女子って感じでしたね。いいかた悪いですが正直、田舎に住む変わり者のブスという印象もありました。だって美人ならイタズラ電話みたいにかけて話し相手みつけるなんて、ぜったいしないと思うんです。まわりが放っておかないだろうし。Tちゃんの同級生たちはみんな結婚するのがはやくて、とり残されているみたいなこともいってました。

でも、そのおかげでオレは下心が湧かず、普通に話すことができました。バカな冗談いいあったり、その日あったTちゃんの良いこともイヤなことも冷静に聞けたりして。彼女の悩みは出逢いがないこと、いつまでも実家にいることを親から責められること、工場長のものいいかたが乱暴なこと、友だちがいないこと。あ、でも友だちがいないというより、人口が少なくてひとがいないって感じでしたけど。

初電話から三、四カ月くらい経ったとき、逢うことになりました。

Tちゃんが東京にくることになって。なんでも新宿の歌舞伎町見学のあとご飯食べて、そのあと夜のライトアップされた東京タワーがみたいって。なかなかベタでしょ。

その日がきて、夕方のバイト終わりに新宿の待ちあわせ場所へいきました。

「こんにちは」

初対面のTちゃんはさらさらのロングヘアで、思ったよりも可愛かったんです。服装もオシャレで、ちょっとオレ見下してたんでしょうね、めちゃ驚きました。

「初めまして……ってかお前、可愛いじゃん！」

Tちゃんは「ありがとうございます」とおじぎしてました。

バキューンと安い音がして、なにかがオレの胸を貫通していきました。

「……えっと、まず歌舞伎町見学だよね。特にみるものないけど。いこうか」

スタジオアルタの横を通り、まっすぐ歌舞伎町にむかいました。

「ひと、多いですね」

「今日は平日だからこれでも少ないほうなんだけど、まあ週末は多いかな。でも……」

話をしながらも（ヤバい、可愛い、どうしよう）とか思ってました。

ぜったいにこの可能性だけはないと決めつけていましたから、電話で話すときは下ネタ満載だったし、最近酔っぱらってトイレに間にあわなかった話までしていました。

「ここが歌舞伎町。日本一の繁華街でございます」

「歌舞伎町ですか……初めてきました」

食事はそのへんの牛丼屋でいいと思ってましたが状況が変わり、ちょっとでも恰好をつけたいので、まったく詳しくないパスタに詳しいフリをすることに決めました。

「パスタ好き？　まあまあのお店があるんだけど、そこで食べる？」

Tちゃんは「パスタ？　食べたいです」と嬉しそうに笑いました。

チェーン店ではなさそうなパスタ屋に入り、ふたりとも注文しました。

待っているあいだ、話をするのですがTちゃんもオレを意識しているらしく、緊張してどことなくぎこちない感じです。

「電話でさ、あの映画お勧めしてたじゃん。あれ観たんだけど面白かった」

彼女の緊張をほどくために、オレはめちゃくちゃ喋りました。パスタ食いながら。

「この前オレがいないときにバイト先で変な客がきて――」「困った後輩がオレに電話してDさんいまからバイト先これないですかって――」「そのあとも大変でさ――」

Tちゃんはにこにこ笑って、うなずきながら話を聞いていました。

パスタも食べ終わって、そろそろ緊張がほどけてきたかなって思って。

「そういえば、ホテルってどこ泊まるの？　チェックインしなくて大丈夫？」

「泊まるところあるから大丈夫です」

「あ、もしかして話していた、東京に住んでる親せきの部屋？」

叔父さんか誰かが東京に住んでいて、いつでも泊まりにこいっていわれている。

そんなことを電話で話していたのを思いだして尋ねると、彼女はうなずきました。

「そっか。じゃあ大丈夫だね。そろそろ、夜の東京タワーみにいこうか」

「……Dさん。親せきいないんで、部屋でふたりになりませんか？」


まさかの急展開でしたね、あれは。

彼女が「お金もらってるから」ということでタクシーに乗って。

ドキドキしましたがけっこう距離があって、バイトで疲れていたから寝ちゃって。

ドアが開く音で目を覚まして、降りたらアパートの前です。

鉄の階段で二階にあがったところ、すぐの部屋でした。

そのまま部屋のなかに入ったら、Tちゃんが抱きついてきて、オレもそれに応えてすぐコトにおよびました。

終わってからベッドで腕枕して、ぽつぽつ話していたら、また眠くなって。

寝ていたのは短い時間だったと思うんですけど、なんかノドが渇いたので目を覚ましたんです。裸のままベッドからそっとでて、なにか飲みものをもらおうと、勝手に冷蔵庫を開けました。なかは真っ暗でなにも入っていません。

(あれ？　どういうことだろう……あ、叔父さんの家だからか)

出張が多いひとっていってたから、冷蔵庫の電源を切っているんだと思いました。

仕方がなく水道水を呑もうと思って蛇口をひねりました。でも水がでない。

いくら出張が多いといっても、水道まで止めてるのは変だと思いました。

仕方ないから缶ジュースでも買いにいこうと、服を着てるとき（そういえばいま何時？）と、当時主流だったパカパカの携帯電話をポケットからだして開けました。

着信が二十件以上も入っています。

(なんだ？　バイト先からか？　こんなに電話して)

履歴をみると、全部Tちゃんだったんです。

（え？　どういうこと？）

Tちゃんからメールもたくさん届いているんです。

【思ったよりはやく到着しちゃったよー。待ってるね！】

【ひとが多くてみつけられるか、わかんないから旗でも持ってくればよかった】

【ナンパされた。この一時間で六人も次々ときた。東京やっぱりスゲーです】

【階段上がったところだよ、電話してね。派手な服をきてるから目立ちまくり】

【もしかしてバイトが長引いてるとか？　事故とかじゃないよね？　心配】

【大丈夫かな？　持ってるね】

【チェックインの時間があるから、とりあえずホテルにいくことにします】

【もしかして私、日にち間違えた？　今日じゃなかった？　生き急いだのか？】

【ホテルにいるね。連絡できるようになったら電話してください】

最後に届いたメールは三時間も前になってました。

まったく理解できず混乱して、どういうことか考えました。

（じゃあ……いまそこで寝ているのはTちゃんじゃない？　ここ誰の家？）

オレは横にあるベッドへ顔をむけました。

おんなは髪の毛のあいだから目を見開いて、こちらをみていました。

寒気が走りましたが「ジュース買ってくる」と冷静を装い玄関から外へでました。

音を立てながら階段をおりて道にでると、早足で進んでいきます。

「ふざけるなよ、誰だよ、あいつ、誰なんだよ……」

そういいながら自分の声が震えているのがわかりました。

思えば、あのおんなは歌舞伎町にいるときもあまりしゃべってなかった。

緊張していると思っていたけど、そうじゃなくてオレに話をあわせていたんです。

そのときは可愛いと思ったけど、エッチしてるときの、にやあって笑ってる顔を思いだしたら不気味に思えてきて。腹の奥の筋肉が震えているのがわかるんです。

道をまっすぐ進みながら、そういえばと気づきました。

「ここ、どこだよ……タクシーで、どこまできたんだ？」

道のむこうまで霧がかって、白くなってぜんぜん先がみえないんです。

呆然としていたらうしろから微かに——音が聞こえました。

それ、アパートの階段をおりる音っぽくて。おんなが追いかけてくるような気がして、走りだしました。右に角を曲がり、今度は左に曲がり、また走って。

大きな道路にでたかったんですが、ずっと住宅街で同じような道なんです。

(どうして誰もいないんだよ、まだそんな時間じゃないだろ)

通行人もいなくて、どの家の窓も真っ暗で、霧のなかに街灯だけが浮かんでいる。

なにも音もしなくて自分の息が妙に大きく聞こえるなか、足音が響いてくるんですが、それがどこから聞こえるのかわからない。

とりあえず、こちらはできるだけ音をださずに走りました。

道がわからないので、間違ってアパートにもどることのないよう気をつけながら。

街並みが、なんだか古いんです。トタン壁の家、錆びついたような駄菓子屋、レンガ造りの工場、栄養ドリンクのポスター、木製の電柱。まるで戦後にタイムスリップしたみたいな感じすらあって。

ずっとまっすぐ続いている道にでたとき、むこうに人影がみえました。

あのおんなかと思って一瞬、身がすくみましたが体形が違う。男性のようでした。

助けを求めようかと思いましたが、なんだかようすがおかしい。

塀に頭の頭頂部をつけて、音もなく両手を鳥みたいに動かしている。

近づいちゃいけないと思いましたが、いまきた道のうしろからは足音がして。

仕方がなく男がいる方向と逆に進みました。

(こっちはあのアパートのほうではありませんように)と祈りながら。

また角を曲がるとふたつ、ひかりがみえて。すぐに車だとわかりました。

空車のランプがついたタクシー。近づいて手をあげると停まってくれました。

ドアが開いて車内に乗りこむと、運転手が尋ねてきます。

「あれ? いま乗ってたかたですよね。アパートの前までいった」

「さっきの運転手さん! すぐにだしてください! とりあえず、まっすぐッ」

直進するタクシーの先、道の端に誰かが立っています。

あのおんなでした。

「あれ? あのひとは……」

「運転手さんッ、停まらないで! そのまままっすぐ進んでくださいッ」

おんなは無表情で、こちらをみていました。

しばらくして「ケンカでもしたんですか?」と運転手さんが訊いてきました。

「運転手さん、オレらを降ろしてからずっとこの辺を走ってたんですか?」

「え? そうですけど、でも降ろしてまだ五分も経ってませんよ」

二時間は経っているのに、そんなことというんですよ。

「……ここってどこですか？」

「和光市のほうだと思うんですけど、すみません。この辺はあまり詳しくなくて」

新宿から一時間ほどの距離のところにいたのか。

そう思ってると、大きな橋がでてきました。

けっこう大きな川でした。橋を越えたところで車が停車したんです。

運転手が鍵をまわすと、すぐにエンジンはかかりました。

「いま、停まりましたけど、大丈夫ですか？」

そうオレが尋ねましたが、運転手は車を発進させてしばらく黙っていました。

「お客さん、みましたか？　い、いまの、みましたか？」

「……なにをですか？」

「か、川のところ。川のところみましたか？　たくさん、ひとがいましたよね？　みんな渡ろうとしてましたよね？　こっちをみていましたけど、あれ、なんですか」

声が尋常じゃないくらい震えているんです。

もうなにも考えたくなかったので「そうですか」とだけ答えました。

道が開けてきて、他の車が現れだして、街の騒音を聞いてやっと安心しました。

お金があまりなかったので一本で新宿にいける駅で降ろしてもらったのですが、運転手さんは「メーターが壊れてるので、お金はいいです」とまだ怖がっていました。

でも、タクシーのメーターだけじゃなく、オレもなんです。

携帯電話がまったく動かなくなっていたんです。タクシーに乗る前は大丈夫だったのに、電源が入らなくなっている。ちなみに、腕時計も壊れて止まっていました。


いま考えても、なんだったのかわからない出来事でした。

携帯電話は壊れたまま直らず、Tちゃんとは連絡がとれないままになってしまいました。本当に申しわけないことをしたと思っています。謝ることもできないまま、ずいぶんな年月が経ってしまいました。

あの出来事のあと、数年のあいだは新宿にいきませんでした。

もし、またあのおんながいたらと思うと怖くて仕方がなかったんです。

あの街も、いったいなんだったのか、いまもわかりません。

前に仕事で和光市出身のかたと仲良くなったんですが、あの出来事を説明しても「それ、和光市ですか？　だいたい知ってますけど、そんなところありませんよ」といわれてしまいました。

もしもこの話を怪談本に書くのなら、なにか情報が入るかもしれません。

オレはあのときどこにいっていたのか。そして、もしも同じような体験をしたというひとから連絡があったら教えてください。いまでも夢にみたり、思いだしたりしてぞっとすることがあるんです。あのおんなの笑っている顔に。

このDさんの話は、かなり変わり種の体験である。

この手の怪異は俗にいう「異世界系」ともいえるのではないだろうか。

複数の要因が絡みあっていることも考えられるが、ひとつずつみていこう。


まず、最初の疑問はこの新宿で接見してきた女性は何者かということである。共に食事を摂っていることから霊とはいいがたく、変質者という判断もゆるい気がする。話の流れとセリフから察して、おそらくいろいろなひとたちに声をかけていたのではないだろうか。

そして女性に連れていかれた街も奇怪としか表現できない。これがあの世と思しき場所ならば、タクシーでむかうのは違和感がある気がするし、かといって普通の街とも思えないことから、有名な都市伝説「きさらぎ駅」を彷彿とさせるものがある。

ただひとつ「その街は霧がかっていた」というところは、Dさんがこの体験をした季節が冬であり、霧が発生する条件がそろっていることは確かなようだ。

さらにタクシーの運転手はDさんの話とあわない箇所がある。Dさんは謎のおんなの部屋でしばらく過ごしたといっているが、タクシーの運転手はDさんとおんなをいましがた降ろしたばかりという旨の発言をしている。

さらに川を越える橋で大勢の人間をみたと運転手はいっていた。Dさん自身はもと居た場所にもどれるのか不安で橋のむこう側ばかりに視線がいって川をみていない。

橋や川という言葉は、あの世とこの世の境目のようなイメージがあり興味深くもある。そこを渡ろうとしている人々は、現世にもどろうとしている死者たちを連想してしまうのは私だけではないだろう。

この体験と似た「どこかわからない場所の話」は、いくつも聞いたことがある。皆さまも伝承や宗教観に囚われず、これらの体験談だけで類推していただきたい。

深夜、ホストを家に送るため神戸の田舎道を進んでいたところ、街灯もなにもない砂利の一本の道に到着。停車してナビで居場所を確かめている最中、車が道に沈む。運転手は慌てて逃げだしたが、ホストは車ごと道に沈没、その後急性アルコール中毒の遺体となって発見される。

迷子がいたので保護、その子に指示されるまま家に送り届けたのち、自分がどこにいるのかわからなくなる。夕方の五時にもかかわらず誰もいない町内を三時間歩き、道に座りこんでいる若い男性に逢ったが、彼は疲れきっており会話もままならない。電話も通じず、助けを求めようと民家のインターホンを押すも誰もでてこず。小さな石橋を渡ったところで景色が一変、自宅のある町内にもどることができた（自分のみ帰還、男性がどうなったのかは不明）。

公園で驚くほど色白の少女を発見。服装はぼろぼろで挙動がおかしく、事件にまきこまれていた可能性があると判断して通報、少女はずっと知らない街にいて言葉の通じない動物のような顔のひとたちに食事を与えられていたと証言、警察が保護したがその日のうちに家に無事に帰ったと連絡あり、両親によると少女がいなくなっていたのは半日ほどながらも外見の変化に戸惑っていたとのこと、その後のこと不明。

彼女の家から帰る途中に見覚えのない自動販売機を発見、近づいて観察するがどの商品も初めてみるものばかり、うしろから聞きなれぬ言語の男が怒鳴るので逃げるも二階建ての家ほどの大きな人間を数体目撃、それと同時に自分が知らない街にいることが発覚、数十人のひとたちに追い立てられ捕まり牢獄のような場所に一年ほど収容されたあげく、ここにきたことを秘密にするのを条件に解放され、住んでいたところにもどるも体験を友人に話して再び行方不明、現在もみつかっていない。

阪神・淡路大震災当日、兵庫県の自宅にて寝室にいたはずの小学生の息子が行方不明、まわりに助けを求めるも倒壊や救助を必要とする混乱のせいで聞き入れてもらえず、火事が迫るなか必死で捜索するがみつからず絶望的な状況、突然現れた神主にいわれるがまま神社に避難、境内にいる息子を発見し神主に事情を聞いたところ、見知らぬ男が息子の手を引いて現れ、自分たちが住む町にきたから家にもどしてやってくれと頼みどこかへ去っていき、息子に詳細を尋ねるも言葉が話せず震えるばかり、現在、息子は健在だがこのときのことをまったく覚えていない。

ある男性の祖母はむかし爆発事故に巻きこまれ臨死体験をしたらしく、そこはなにもない場所で言葉と言葉のやりとりは意味をなさず、誰もが影のような存在になるためにお互いが確認できないと語り、じゃあ祖母ちゃんはどうやって帰ってきたのと男性が尋ねると、川を歩いて渡ったら目が覚めた、他の者たちは川の泥底が邪魔で前に進むこともままならなかった、もう躰がないことも知らず、自分の死んだことを認められない者は、永遠に渡れない川を渡ろうとするんだよひひひと嬉しそうに嗤った。

腐れよ舌

そのパーティーの会場でZさんは、ワイングラスを片手に周囲をみていた。

着物をきた有名小説家を目で捉えると、まっすぐ彼のほうにむかって歩く。

「先生！　ご無沙汰しております！　怪談作家のZです。お元気ですか？」

覚えられていなかったら恥をかくので、自ら名乗る狡猾さ。

「いやあ、今日のスピーチ、とっても良かったです。私、小説は書きませんが、先生の仰ってることは、怪談に通じるものがあるなって勉強になりました」

勉強になったといえば納得する、ひとの心理を突いた便利ワード。

「それにしても、相変わらず先生のご活躍には目を見張るものがあります。

特に！　あれ！　最近だしたあの小説！　全わたしが泣きました。もう、特にラストの主人公が走りだしたところと、ヒロインのセリフが堪らなかったです。普通、あんなシチュエーションで『お前ウザい』なんて言葉なんか、まったくもって想像もできませんでした。感動のあまりひと晩中、涙が止まりませんでしたよ」

最初と最後を読んでいれば、読んだ風に話せる優雅な手法。

「先生は日本の宝です！　なにかあればお声がけください。取材からサイン会の助手まででなんでも致しますから！　微力ながら先生のため頑張りますので！　それでは！」

まわりの目線があるので、立場のあるひとからは素早く離れるのも大事なのである。


次の目標を発見、接見ノルマをこなしていく。

「あれ？　確か〇〇書房の。お久しぶりです。作家のZです。どうですか調子は？」

名前は名札を確認してから口にだし、ミスのないように勤める慎重さ。

「パーティーも久しぶりなので、ちょっとだけ緊張していましたが、以前より縮小してしまいましたね。人数も少ないし。これもご時世のせいなんでしょうか。

なんか料理の数も減りましたよね、これ。

ほら、前は寿司やステーキがずらっと並んでいたのに。簡易な食事ばっかりになっちゃって。これは良くないなあ、うん。良くない。ほら、みてくださいよ。パンとかある。パーティーに普通、パンとかだしますかね？

もしかしてこのパーティーの主催△△出版、経営が上手くいってないかもしれませんね、実はギリギリ見栄でやってるとか。ははっ」

同じ妬みを共有していると決めつける、危険な綱渡りトーク。

「それはそうと、そちらの○○書房さんはお忙しいですか？

今度良かったらぼくの書いたプロット読んでくださいよ。溜まってるんで」

プロットなど書いたことはないが、みせろといわれてから用意する自信。

「ぼく地元では文化人枠なのですけど、ジモピーだけにウケても限界があるから」

口にしてはいけないことが、わかっていない愚直。

「読者は発行部数とか気にしないけど実際こっちの収入、そこで左右されるじゃないですか。日割りにしたら一日、牛丼三杯食べられるかどうかじゃヤバいっすよね？　温玉のせなんてムリムリ、チー牛にしたらアウトですから」

食費が心配になるほどの経済状況。

「ガンガン儲けたいんですよ。営業さんさえ頑張ってくれたら数字とれる自信あるんでシリーズものとか、どうですか？　通して欲しい企画、間違いないっすよ」

気持ちがいいほど煩悩丸だしの主張。

「え？　去年、ぼくの書いた怪談面白かった？」

せめて読んだことを伝えてあげる版元の愛。

「どれのことですかね？　どれ読んだんですか？　いちばん最後にだしたやつ？」

空気読めず追及してしまう虚栄心。

「ああ、あの性格悪いやつが悪いことをするたび、体が腐っていく話ですか」

お前だ。

「あれね、ぼくの住んでいる地方の伝承がもとになっているんですよ。実際、モデルになった人がいて、どんどん酷くなっていったんですけど、実際クソみたいなやつでしたよ、はは。クソウケますよね」

ときには汚い言葉も潤滑油。

「あ、あそこにいるの、△△出版の人だ。ですよね？　ですよね？　挨拶してきます。今度、会社に遊びにいくんで時間作ってくだしあい。それじゃ」

本当にきたらどうしようと、災厄のような不安を残していった。

最後の接見ノルマ発見、これ以上の知りあいは皆無だ。

「△△出版のかたですよね？　私、怪談作家のZと申します。どうも、どうも」

先ほどよりも腰が低めで、出版社カースト把握。

「五年前のパーティーのときもお会いしたんですが、覚えてませんか？」

眉間にシワをよせられても対応できる柔軟性。

「そのとき書籍企画の話をしていたんですけど。ああ、覚えてない。なるほど……」

計算し尽くされた会話の崩壊。

「実は、あのとき話した企画を是非、今年……あ、おトイレにいくところでしたか」

始まっていない企画の打ち切り。

「それは失礼しまひた。先におトイレにどうぞ」

これですべての役目を終えたので、ひと息つくため椅子に腰かけた。

誰にも話しかけられないからスマホをいじり、帰ろうかと考えていると。

「うん、ぼくがZだけど。誰？　ああ、本屋さんの人？　どこの本屋さん？」

意外な応援者の降臨。

「え？　個人的にぼくの本読んでくれたの？　そりゃどうもありがとさん」

大切なものを失ってきたが今日も気づいていない気質。

「こういうパーティー初めて？」

謎の上から目線。

「いろいろな作家さんや出版社がいるから、楽しんだらいいと思うお」

経験者のごとき役者根性。

「最近、本屋も大変でしょ。紙の売り上げ、電子に持っていかれてるから」

おい。

「え？　工夫して立ち止まってもらうように頑張ってる？　陳列タワー？　なにそれ」

人を選んでしまう、おそるべき嘲笑。

「へえ、そんなことしてるんだ。大変だねえ。販促品置いてもらうとか、サイン会してもらうとか。版元にお願いしたらいいんじゃないの。ちょっとはマシになるきゃもね」

調子に乗った者の独特、間もなくきたる天罰に不感症。

「まあね、時代の波についていけないと情弱な店からちゅぶれていっちゃうから、気をつけないと。ちゃんとアンテナ立てて行動していきゃないと、どんどぉんおいていかれちゃう、ちぇ、しょうばい、できなきゅなって、いきゅきゃきゃきゃ……。あのひゃ、オレの舌みてくれにゃ？　なんきゃ、血の味ぎゃしゅるる」

これにて完結、腐れよ二枚舌の物語なり。

因果応報の系統に属する怪談である。

ひとのことを品定めして、相手によって態度を変える人間はロクな者がいない。それはよくわかるのだが、生きていくための処世術のようにもみえるから不思議だ。

これは人間の特質、贔屓《ひいき》のような行為のせいで発生する。贔屓は詰まるところ、損得か好き嫌いかで起こることなので、贔屓されたいと願うこと自体は罪のないように思える。しかし、好待遇や好条件を無条件で受ける者がいるということは、その逆も然り、理由なく虐げられる者を生む要因にもなる。そんなことには意識をむけられない、ひとはどうなってもいい、自分だけが甘い汁を吸いたいと願う者の末路は、それが他人にバレている時点で、悲惨なものと相場は決まっている。

この怪談で登場したZさん（当然仮名）は実在するし健在だ。正直キャラクターの再現度は相当高いと自負してる（ディスってる）。だが実際に腐ったのは舌でないし、わかりやすくするため変更した（実際はもっと恐ろしい。背中に激痛を感じて悶絶、雑菌の感染により腐っていたのは彼の芯、背骨）。作家でもない。と書いておく。

この手の人間のつきあいは至極簡単で、距離を置くことである。

それにしてもこの話なら、あと五十ページは書けてしまうことが悲しい。

どうやら私は、いろいろと汚いものを目にしすぎたようだ。ぴえんである。

銀行強盗犯

かなり前の話だよ。オレが五十歳になったばかりのころだな。

現場仕事していたんだけど、サボり倒してさ。

毎日のようにパチンコいってたんだよ。そのときはいまよりもぜんぜん儲かったのよ、パチンコ。正直、日当なんかバカらしくなるくらい稼いでたんだ。いまも、ときどきいくんだけど、ぜんぜんでなくなったなあ、パチンコ。またあの時代にもどらねえかなあ、パチンコ。ああ、違うな、パチンコの話じゃねえや。

そのころさ、勝ったらさっさとやめて、ある店に入り浸ってたんだよ。へ？　スナックかって。バカなこといっちゃいけねえよ。こうみえても嫁さんひと筋なんだよ。

なんの店だったたって説明したらいいんだろうな。

菓子パン屋？　雑貨屋か？　雑貨屋だな、洗剤とかも売ってたし。雑貨屋だ。

そこの店主と仲良くなってよ。

ガムぐらいしか買ったことねえんだけど、ずっと居座ってたのよ。レジの横にパイプの椅子があってさ。まあオレが店主にいって奥からだしてもらった椅子なんだけど。

店主は、あのときもう六十半ばくらいにゃ、なってたんじゃねえの。知らねえけど。

そりゃアンタ、いまの六十代とそんときの六十代ってぜんぜん違うよ。いまのひとたちは食いものがいいのか知らねえけど、ずいぶん若くみえるってもんだ。でも、そのころはもうヨボヨボって感じよ。髪も真っ白で、男が髪をがっつり黒に染める文化なんてあんまなかったからよ。でもあいつ、清潔感だけはあったな。要するに清潔感のある静かなジイサン。

でさ、いつもニコニコしてんの。ぼそぼそしゃべるんだけど、またこれがたいした内容じゃないのよ、しゃべることが。ほとんど相づちみたいな会話。

オレが「ああ、焼肉でも喰いてえなあ」とか「あーあ、明日もパチンコ勝てるか不安だねえ」っつったら「……美味しそう」とか「……不安だね」って、ぼそぼそいうのよ。

だからまあ、一方的にオレがしゃべってたって感じだよね、うん。

でもいままでなにしてたの？　って訊いたら、若いときには兵隊にもいったんだってさ。ひとはホントみかけによらないねえ。あんなトロいのが戦争いっても役に立ったのかって思ったよ、実際。まあいいや、それは。

とにかくね、店にほぼ毎日いってたの。

滅多に客こないし、別に邪魔じゃなかっただろうし。その日も昼すぎからずっと店にいたのよ。そしたらすんげえ土砂降りの雨が降ってきて。

「うおい、ヤバいな。めちゃくちゃ降ってきたぞ。すげえな、こりゃ」

「……すごいね」

そしたらさ、店にとことこ小さいのが入ってきたのよ、びしょびしょで。

五、六歳くらいかね、えらく痩せてるガキ。なんか小さいのがひとりで初めてのお買い物か？　とか思ってたら店主の笑顔が消えて。

そのガキ、ナイフ持ってるのよ、果物ナイフ。

んで、こっちにきて、ナイフを振りあげるの、こうやって切っ先を店主にむけて。

どうやって刺すのってくらい、ぜんぜん届いてねえんだけど。

「お、お金……お金」

こっちからしたら、はあ？　って感じよ。

ズタボロの縫い目だらけのズボンでシャツも顔も汚れてる。雨でぐっしょり濡れてるしナイフ持った手がガタガタ揺れて切っ先があっちむいたり、こっちむいたり。

オレのほうが距離近いのに無視して、怯えた顔で震えながら店主を見上げてるの。

店主は真剣な目で黙って見据えてるもんだから「お金！」って叫んで。

あいつ、その子のほうをむいたまま、レジを開けて紙幣つかんでた。

オレがなんとかしてやろうと、立ちあがってビンタしたの、ばんッ！

もちろん躰が軽いもんだから、ナイフ落として吹っ飛んだよ。

オレが「このクソガキが……」って近づこうとしたら店主が大声だすの。

「やめんかッ、貴様ッ！」

初めて、ぼそぼそ以外の声を聞いたから、オレも驚いちゃって。

店主はレジからでてガキに「大丈夫か」つって起こしてやってさ。レジからだした紙幣を握らせて、しっかり立ってるのを確認すると、こんなことというんだよ。

「ちょっと待ってなさい。まだあるから」

そういって小さい箱タイプの金庫から、あるだけの紙幣だして。

「これで全部だ。いきなさい」

そんなこといって渡しやがったんだよ。

ガキはもう左頬が腫れあがってたな。震えながら目を左右に動かして、なにが起こってるのかわからないって感じだったけど、息を吸って外へ走っていった。

「おい。けっこう渡したぞ。いいのかよ？」

店主は土砂降りのなか、金を両手で大事そうに持って走るガキをみていたよ。


まあ、あれだ。店主はなんかいろいろ読んだんだろ、ガキの服装とか汚れた顔とかみて。なんか事情があるんだろうって。いや当然オレも思ったよ。でもさ、ああいうときはさ、こころを鬼にして止めてやるのが筋だと思ったんだよ、いい訳だけど。


それからけっこう経ってさ、いつものように店にいたんだよ。

あ……これ、いっとかなきゃ。店主さ、紙幣を全部、渡して小銭しかなかったんだよ。仕方ねえから、オレちょっと貸したんだ。え？　そのくだり要らない？　なんで？

「ごめんください、失礼します」

ポロシャツきた礼儀正しそうなじいさんが、店に入ってきたんだ。

「あの、少し前に、ここへ子どもが強盗にきませんでしたか？」

「あん？　なんだ警察か？　通報してねえのに、よくわかったな。ポリスメン」

オレのことも店の人間だと思ったんだろうな。

「ここでしたか。やっと、みつけました。良かった。店長さんですか？」

「オレじゃねえよ、こっち。このひとが店のボス。オレは見習いだよ、この店の」

テキトーにいってたらジイサンが店主にすげえこと説明しだしたんだ。

そのジイサン、街の端っこのほうにある医院のドクターっていうんだよ。

「少し前の雨が酷い日、さすがに患者さんがこなくて。

今日はもう誰もいらっしゃらないだろうと思ってたら、うちの看護婦が、

『先生、ちょっと……みてください』

驚いた顔でいうんです。私もみて驚きましたよ。

医院の前に、顔を腫らした痩せた男の子が立っていたんです。

雨でびしょびしょに濡れた姿で、たくさんのお金を手のひらに持って。

もう表の電気を消していたから、ドアを開けていいものか迷っていたんでしょう。

なんだか、ただ事じゃない気がして、すぐになかに入れました。

とりあえず躰を拭いてあげて、温かい診察室に連れていきました。

このお金はどうしたの？　と尋ねると『銀行強盗した』と答えていました。銀行強盗などできるハズもありませんから、言葉を少し勘違いして使っているんだと、すぐにわかりました。そのお金を差しだしながら涙を流して、

『お母さんが病気だから助けてください』

私は看護婦と顔を見合わせて『どういうことか、説明できるかい』と訊きました。

もうずっとお母さんが動けずにいる、病院にいこうといっても、うちはお金がないからといって聞かない。このままでは死んでしまうかもしれないから、ぼくがなんとかしなきゃいけないと思って、お店で銀行強盗してきたから、ぼくは牢屋に入れられてしまう。でも、このお金を使ってお母さんを助けてあげて欲しい。お願いします。

そんなことを泣きながらいうんです。

しかし私からみて、もう何日も食べていないのでしょう、その男の子もかなり弱っているように思えました。代わりの服に着替えさせて、点滴を打ちました。

『ぼく、家の住所はわかるかな？』

そう尋ねると、ぼろぼろになった期限切れの保険証をポケットからだしました。

なにかを食べさせるようにと指示し、私は白衣のままその子の家にむかいました。

アパートの玄関には、借金とりからの催促の貼り紙がたくさんありました。

鍵が開いていたので、ドアを開けました。

台所の窓から外の街灯のひかりが入ってくるだけで、部屋のなかは暗かったです。

そこの壁際に布団が敷かれていました。

母親が寝ていたので声をかけましたが、返事がありません。

靴を脱いでなかに入り、母親の手首をとりました。

残念なことに、もうすでに冷たくなっていました。

どうみても死後二日は経っていると思われたので、私はため息をつきました。

母親の手首を布団のなかにもどして、まわりをみる。

目が慣れてくると、家のなかは驚くほどなにもないことがわかります。

もう一枚の折りたたまれた布団と、小さなちゃぶ台、ずいぶん古いテレビもありましたが、電気は止められているようでした。コップがひとつ置かれており、あの子は水道水だけで過ごしていたようです。

いったいどういう想いで、ここであの子は母親に声をかけていたのか。

それを考えると、胸がつぶれそうになりました。

立ちあがろうとしたとき、なにかに引っぱられました。

いつの間にか、白衣の裾を母親がぎゅうッと強く握っているのに気がつきました。

私はそっと手を撫でて、

『あの子はちゃんと育てられるところに預ける。心配しなくていい』

そういうと握り締めるちからが弱まって裾から外れ、ぽたッと床に落ちました。

『あんたも、よくがんばった。ゆっくり休みなさい』

つぶった目から涙がひと筋流れていました。

母親というのはすごいものです。死んでも我が子のことを案じているのですから」

そんな話を聞きながら、オレも店主も号泣。

あの顔の腫れはオレの一撃ですなんて、とてもじゃないけどいえない。

ドクターは店主のほうをみて「兵役は？」と訊いて、店主はうなずいてた。

「私と私の父親は従軍しました。子どもが元気に育つ良い国になるようにと、命をかけました。あれはいったいなんだったのでしょうか。思いやりを持てない大人たちが自分の気持ちや利益を優先して仕事をして、他人への配慮を欠かしても気づけない。その結果、あの親子のような弱い者たちが犠牲になるのです」

なんか難しいことをいったドクターは、カバンから封筒をだして店主に渡した。

「あなたのお金です。全部あります。警察はこのことを知りません。

あの子はこれから施設で育っていくことになりました。きっと、そこでしっかりした大人になり、自分が銀行強盗をしてあなたから優しさをもらったことに、いつか気づくでしょう。そのときもしこの店にきたら、よく頑張ったと褒めてやってください」


それから何年くらい経ったころかねえ。

オレさ、ちょっと友人の仕事手伝うため、地方いってたのよ。そこでけっこう儲かって良かったんだけどさ、こっちに帰ってきてすぐに店主が体調崩して辞めるみたいなこというから、こうやっていまオレが店におるってワケよ。雑貨屋は廃業して、いまはこの通り、焼肉屋にしてやったわ、がはは。

店主は十年くらい前にあの世に旅立ったから、ドクターももういねえだろ。

ドクターが話していたサビシー時代になったかもしれねえけど、暗くなっても仕方ねえからな。あんたも笑っとけや。そのほうがいいだろ。え？　銀行強盗犯はきたかって？

そこの額縁、壁にかけてある写真みろよ。左端にいるジジイが店主、右端にいるジジイがドクター。そんで真ん中の笑ってる男前がそのガキよ。オレがいないときにきやがって、銀行強盗犯のクセに。

濃厚で考えさせられる体験談である。

厳しい世界のなか、登場人物たちは優しく輝いているのが際立っている。

この話も昭和の出来事だ。現在と明らかに違うのは生きる目的といえるだろう。当時の日本人の生きる目的は「生き延びること」そのものだった。貧しさのなか、なんとか明日を迎えるために必死で生きる方法を模索していたが、いまはずいぶん変わってしまった。安い賃金しか稼げないが、さらに安くそして簡単にものを手に入れることができる時代になり、生きる目的は「より心地よく、より幸せになること」に変わった。いま幸せですかと誰かに訊かれたら、幸せかそうではないかと答えるようになってしまった。それが悪いことなのですかと不思議に思うひともいるかもしれない。

幸せとは「なる」ものではなく、誰かを幸せに「したい」と考えるもの。食に困った経験のある者たちがそこに辿りつき、幸せを求める者が道に迷う。老害の意味不明な意見かもしれないが、私にはいまの考えかたや主張が奇妙に思えてならないのだ。

この体験では遺体が動いたと思われるくだりがある。

まず遺体が動くことは普通にあり得ること。血流が止まったこと（とされる、他にも説あり）による死後硬直と弛緩を繰りかえすことによって動きが起こるのだ。しかしながら、それは大まかな動きであり、握ったり、なにかをつかんだりする緻密な動きは難しいようだ。専門家に逢うたび、現実にあり得ることなのか尋ねてきたが全員が「かなりの条件がそろえば」ときびしい顔で答えている。やはり難しいのだろう。

それでも怪談のなかには、動く遺体の話が少なくない。

怪談社にも遺体が妙な動きをしていたのをみた者がいる。通夜のとき、白い布をかぶせられた故人が動き、布団が激しく波を打っていた。何度も動きを繰りかえしていたが、動いたタイミングはすべて、集まった親せきが悪口をいったときだったという。

単なる偶然なのだろうが、ひとはもっと偶然を大切にするべきだと思う。悪いことを口にしてはいけないと、注意の意味で遺体は動いた。となると、やはり先の話の母親の遺体は子どもを想う愛情から動いていたのだ。

殺意の店

ラジオを聞きながら、軽バン乗っててん。

友人が中古車の店やってたから、好きなときに好きな車貸してくれて。でも中古車で型が古くてかっこいいやつとかはあらへん。ただ移動できるだけって感じ。ぜったい事故するなよ、まだ名義変更してないやつもあるから言うて。きつく言われてはいたんやけど。まあ、そのときは時代が時代で、バレても誤魔化せてたんやけどね。

とりあえず事故ったんや。あんなに言われてたのに。事故ってまいました。

二回も。いや、二回事故ったんやないで。二回轢いてん、同じひと。

夜、見通しの悪い道路でたとき、自転車に乗ってたおっちゃんを轢いてん。

一回目は自転車とおっちゃんが倒れる程度ぐらいやったけど。慌ててもうてブレーキ踏んでた足を離して、なんでかわからへんけどアクセル踏んでもうて。二回目は自転車が上に乗ったおっちゃんの両足を、自転車ごと轢いてもうたんや。

「おわああッ、痛い痛い痛いッ、バックじゃ、バック！　バックせい、アホンダラ！」

しかもバックせずにそのまま通過してもうて、後輪でも轢いてもうた。

あれ？　ということは三回轢いたちゅうことか。そりゃ怒るわ、おっちゃん。

もう完全にパニックになってもうてたんやろなあ。

車降りておっちゃんみたら、自転車と両足がぐちゃぐちゃなって一体化しとるねん。

出血もエグくて。そのまま気を失ってもうた。おっちゃんじゃなくて、ぼくが。

通行人が救急車呼んでくれたらしくて、ふたりとも一命はとりとめたわ。

ぼくは血ぃ見て、気絶しただけやけど。


「こ、この度は申しわけありませんでした！　ホンマ、すみません！」

おっちゃんが入院している病院に謝りにいって。

昼間見たらおっちゃん、めちゃ見た目がイカついねん。パンチパーマやし。

横には力士みたいなアゴヒゲの大男が立っとって、無表情でこっち見とる。

おっちゃんのほうは腕組んで窓の外を見とった。黄昏とるねん、なんでか知らんけど。

両足めちゃくちゃ処置されとって、もう丸太みたいに包帯グルグル。上半身は完全に無事やけど、これはオシッコとかぜったいに行かれへんわ、思たわ。

「すみません！　ぼくがオシッコ手伝いますッ、金はないです、無職なんでッ」

「帰れ」

怒ってはるわ。そう思て、ふたりに失礼します、言うて帰った。

おっちゃんは一瞬、ぼくをビックリした顔で見てた。

マジで？　って顔やった。帰ってオカンにそのこと報告したら、めっさ激怒。

「アンタ！　帰れって言われた通り帰ってきたんか？　アホかアンタは！」

「だって……おっちゃん怖いし」

オカンからオカンビンタ喰らったあと「行くで」言われて一緒にまた病院へ。

「この度は申しわけございませんでした。この子、高校中退で無職のうえ、教養なくて失礼なことを言ってしまったみたいで。責任はどうかこの子、本人から……」

力士はおらんようになってたけど、おっちゃんは相変わらず窓の外、見とる。

「……いちおう聞くけど、アンタの家は金持ちか？」

「はい？　お金持ち？　ウチでございますか？」

「そや。旦那、ええ仕事しとるとか。やたら貯金あるとか」

「滅相もございません、低所得世帯の代表でございます。夫の仕事も驚くほど不安定で、貯金なんて雀の涙ほどしかないのに、下の子ふたりはまだ高校生で食欲旺盛なのでウチの家計は常時、火の車でございまして――」

「……お母さん。ちょっとふたりだけで話、できまっしゃろか？」

「わかりました。アンタは廊下で待っとき。お母さん、人身御供の提案するから」

よくわからへんけど、上手いこといきそうで、さすがオカンやな思った。

時間にして十分も経たんうちに、オカンは病室からでてきたんや。

「オレのせいで迷惑かけてごめん。いつか仕事見つけたら遊ばんと真面目に働く」

「さよか。ほな、就職おめでとう」

気がはやいなオカン、思いながら「ありがとう」言うておいた。

「うん。うん。もう家には帰って来んでいいで」

「ん？　なんやて？」

「あのひとのところで働き。お店やってはるねんて。もう決まったから」

「ん？　なんやて？　なんやて？」

「アンタは壊れたレコードか。入ってあのひとから仕事の心得でも聞いとき」

オカンはそのまま「ほな、さいなら」と帰っていきおった。

病室のベッドにもどったらおっちゃんが「まあ座れ」といきっとるねん。

「坊《ぼん》、お前のオカン面白いのう。とんとん拍子や。金ないんやったら仕方ないか」

「いや、坊って歳でも……いったい、どういうことでしょうか」

「はい、これ」

ひょいって、二本指にはさんで名刺を渡してきおって。

「坊。この住所、行ってこい。オレの店や。オレの代わりに今日から働け」

「え？　なんで？　ぼく忙しいんやけど。今日の予定は、確か、えっと」

「知らん、行け。損害金払うか？　何百万とか無理やろ。今日から毎日行け」

「毎日ですか？　いや、その前にコレ、何屋さんですの？」

「行ったらわかるわ。もう時間ない。一時間以内に到着しろ。ええな？」

理解できへんまま、とりあえず行くことにしたんや。キツい喋りしててもホンマはきっと優しいひとなんや、仕事まで用意してくれるんやから。そう考えかたを変えることにして。ほんだら病室をでる寸前におっちゃん「おい、坊」て声をかけてきて。

「お前、逃げたら殺すぞ。オカンからも許可もろとるからな。ぜったい殺すぞ」

やっぱりヤクザや、思ったわ。


「ここなん？　この店？　マジでここかいな」

名刺に書かれた住所をそこら中のひとに聞いて、到着してビックリしてもうて。

お化け屋敷みたいな家やねん。ぼろぼろでツタだらけの、怨霊が住んでそうな家。

「おい、ホンマかいな。ぜったい、ここ怨念がおんねん……」

呆然としてたら自転車がきぃって止まって、おばちゃんが降りて言うねん。

「殺すぞガキっ、邪魔や去ねっ」

上品すぎて、もう笑ろてもうたわ。

また帰ろう思うたけど「逃げたら殺す」っておっちゃんの言葉がリフレインして。

仕方ないから店の扉開けて「あの……」って言うたら。

「ここ訪問販売が来たら死刑……あ、もしかしてアンタ坊かッ、二階に住みこむ」

おっちゃんから電話で事情を聞いてたらしくて。ん？　死刑？

「今日から働いてもらうで、あのひとの代わりに。ほな、脚立使って神棚ッ」

「あの、ぼく、なにすればええんでしょうか？」

「だから神棚やろッ、トイレの横に脚立あるから、そこの天井の神棚にこのお酒ッ」

いつの間にかカウンターに、日本酒が入った小さいグラスが置かれてた。

トイレの横にいくと、どう見ても大きすぎるハシゴと兼用になった二重の脚立があって。それを神棚のところまで運んで立てた。天井に付きそうな脚立やった。こぼさないようにコップを持って、脚立を登って神棚に置く。なんとなく手もあわせた。

「次、掃除やッ、デカい脚立はもう片付けて掃除！　時間ないで急ぎッ」

言いながら布巾投げてきて。もうとにかく急いどるねん、人生を。

包丁使って、聞いたこともない音のスピードで千切りしとるし。とりあえず、掃除せなぼくも千切りにされる思うて、テーブルやらなんやら拭きまくって。

「坊ッ！　遅いわッ、遅すぎるッ！　早《は》よホウキとチリトリ！　奥にあるからッ」

奥行ったら病室におった力士が、どんと座って無表情でこっち見とった。

ぼくは「ども」と頭下げて、ホウキとチリトリ持って走った。

バタバタしてたらもうひとり、ごっつガタイのいい男が入ってきて、ウホウホ言いながら店の奥に走り、一瞬で割烹着に着替えて女将《おかみ》？　と一緒に仕込みを始めとる。

「ああ、この子、あれやッ、今日からのアレなッ。あの、代わりの坊やからッ」

それだけでゴリラには通じたらしくて、うなずいとった。

「看板やろッ、看板ッ！　坊、あんた看板出しておいで！」

凄いスピードで準備して、オープンして、もうそこからあんまり覚えてへんわ。


もうな、要約したら、とにかく忙しい店やった。

あと、客のガラが悪いどころ違うねん。もう、口が悪すぎてエグかった。

「ビールおかわりくれ、しばくぞ！」とか「お前新人か、殺すぞ！　ほうれん草のお浸し追加！」とか「しばくぞ、トイレ借りるわ！」とか「ごちそうさん、美味かったわ、殺すぞ！」とかばっかりで、なんか知能がないねん。

それやのに、めっちゃお金置いていくねん。

会計めっちゃ安いのに、全員なんでかわからんけど多めに払いおる。会計千三百円で二万払うねん。釣りは要らん殺すぞとか言うて。マジで意味わからへんかった。

終わったら女将が札束持って売上の計算始めた。

ゴリラはなんかまだ料理しとった。奥には小錦、最後まで微動だにせず。

「うん、今日もそこそこいったな……ん？　ああ、坊か。お疲れさん」

「あ、お疲れさまです。あの、ここってお客さん変わってるんですね」

「聞いてへんのか？　ここ全員、ヤクザ。ヤクザが来る店やで。ビックリ？」

「いや、ぜんぜんビックリしませんわ。途中からわかってましたもん」

「あのな、ウチもよう知らんのやけど、あんたが轢き殺したやつおるやろ」

「はい、轢きました。殺してへんけど」

「あれな、偉いヤクザの息子やねん。親父はもう死んどるんやけど。その親父に世話なった言うて、あちこちの親分さんがここで金使え言うてな、指示しとるねん」

なるほど、だから客たち、あんなお金の使いかたなんやって納得しました。

「あいつアホやからな、孤児院みたいなの経営しとってな、そこで金使っとるねん」

「え？　孤児院ですか？」

「いま、アホやあいつ思ったやろ。わかっとるで坊の気持ちは」

「いや、アホとか思ってません。わかってないです」

「こんな腐った金、貯めてたらバチ当たる言うてな、ええかっこしとるねん」

いつの間にかゴリラが割烹着を脱いでた。女将とぼくに頭を下げて出ていった。

「あのゴ……あのひと、躰大きいひとはなんて名前なんですか？」

「名前？　ゴリラや。ゴリラ言うねん」

当たってた。

「ちなみに私は女将や。そう呼んだらええ」

こっちも当たってた。ということは、あっちは力士やろうな。

「アンタはこの店の上に住んだらええ。布団とか服とか全部あるわ。ウチはもう帰るさかい。食費と銭湯代は置いといたからな。ほな、さいなら。逃げたら殺すからなッ」

悪態をついて女将は帰った。裏口から出たらしく、力士もおらんようになってた。

奥から二階に行ったら、テーブルに一万円とラップに包んだオニギリがあった。

クタクタやったから、たたまれたままの布団に寝転がって、すぐに寝たわ。


たいした説明がないまま、働くことになってもうて、自然とやること覚えたんや。

神棚、拭き掃除、掃き掃除、看板出し、注文、酒と食べもの出す、片づけ、掃除。

どうやら力士はただ座ってるだけの置物で、用心棒みたいなひとらしい。ゴリラは火の通ったものを作る役目で、かなり俊敏な動きをするひと。女将は仕切りやけど、なんと入院してるおっちゃんの嫁みたいやった。

特殊な店員たちやったけど、客のほうがインパクト大。うるさくて荒々しくて、口が悪くて乱暴。その割には客同士のケンカとかないから、不思議で仕方がなかった。

とにかく口が悪くて「しばくぞ」「殺すぞ」が口癖の店。コップのひとつも落としてパリンと割ろうもんなら、全員がいっせいに「死ね」コール。どうせ釣りはいらんって言うのに、会計十円でも間違えたら「ええ根性しとるやんけコラッ！　わしらから金騙しとる気かボケカスナス！　奥歯ガタガタ言わして大阪湾に――」と名言の嵐。

やたら血の気が多いのに、どうやら暴力は完全に禁止らしくて。

殺意だけが怒号として飛び交う激しい店やねん。

客の服にビールこぼしてもうて、胸ぐらをつかまれて。これは殴られるなって思ったら客のひとりが「やめとけ。そいつ店長の紹介や」言うてくれて助かった。なるほど、力士の出番あらへんわと納得した。

いっかいだけ、しんって静かになったことがあって。

着物のおじいちゃんみたいな男のひとが来て、なんか偉いさんやったらしくて。

みんな立ちあがって挨拶したあと、下向いて動かんかった。

うわ、なんか雰囲気ヤバいな思ったら、そのおじいちゃんがぼくに言うねん。

「冷をひと口だけもらおうか」

冷酒とおちょこを「はい、どーぞ」って置いたら全員のささやき声。「あほ」「お前」「ボケ」「なに考えとるねん」「注げ」「マジで殺す」とか、あちこちから聞こえて。

注いでひと口呑んで「坊って、お前か」とだけ言うて、うなずいて帰った。


いろいろあったんやけど、あれよあれよと三カ月が経ったころ。

そのころには女将とゴリラが来る前に、いろいろ準備を先にやるようになってて。掃除してたら常連のお兄さんが来て。警察官に連れられて手錠しとった。

「おう、坊。女将さん、まだか？」

「え？　いや、まだですけど。あの、だ、大丈夫ですか？」

お兄さんは「そうか」って、店の端にある神棚に手ぇあわせた。

「お前や、代わりに女将さんに謝っとってくれ。すみませんって」

わかりました言うたら、いままで見たことないくらい優しい顔で笑って。

「がんばれよ、坊」

そのまま連れていかれおった。

外に出てみたら、パトカーに乗せられるとこやった。捕まって途中で店によらせてもろたんかな思ってたら女将がちょうど自転車で来て。店ん中で言うた。

「すみませんって謝ってましたよ。なんかあったんですかね?」

女将は包丁を動かしながら「アホや、あの子」て、静かに泣いてはった。

見たら、奥に力士も来てとって。珍しく寂しそうな顔になってた。


その日は夕方から忙しくて、てんてこ舞い。

「おら、坊、こっちの酒まだ来とらん、早よせい、殺すぞ!」

「ああ、すみません、殺されません! いますぐ持っていきます」

いつも通りばたばた動きまわってたら、入口の戸が開いて「火事や!」って叫ばれて。みんな「なんや!」って外に出たんや。なんやもなにも火事なんやけど。

店がある斜め前の家の一階が、ごうごう燃えとるねん。

大勢のひとだかりができてるんやけど、火が波みたいに大きく前に出たり弾けたりして生きものみたいやった。道まで出てきてたから、見物人は距離とってたわ。燃えてる家の前で何人かが悲鳴あげとって。客たちと一緒に外に出た女将が真っ青になって「あそこ、託児所やで」ってつぶやいた。

お客たちもそれ聞いて「おい、消防車呼んだんかッ！」って聞いてまわった。

ぼくも火事を目の前で見たんはそんときが初めてやったから、もう完全に震えあがってもうて。火が大きすぎてバチバチバチッって燃えてる音が凄まじくて怖いねん。

家の玄関横の窓から、片腕に火のついたおばちゃんが飛びだしてきおった。走りまわって「あついッ、あついッ！」って叫んで。まわりのひとが逃げるから女将とゴリラが割烹着脱いで、火ぃ消したけど、まだ叫びおるねん。

「ようさんおるッ、上に子どもがッ！　助けてッ、誰かーッ」

二階を見上げたら、明るくなった窓ガラスのむこうに影が動いとった。

（子どもがおるッ！）

そこまで高いところじゃないけど、窓に鉄格子がある。

両隣の家とくっついてるタイプの木造やから、このままでは燃え広がるし、消防車待ってたら間にあうかわからへん。なんとかせな思って、ひとりで店にもどって、なにかないか探してたら、力士が片手で大きな脚立を持って奥からでてきた。

「そうかッ、脚立！　ハシゴにもなる！」

慌てて受けとって外にでて「どけッ！　コラッ」って叫んで、家の前に行って。

折れてる脚立を広げてハシゴにして、二階に掛けた。一階の火が飛び出ているからずいぶん浅い角度で掛けたけど、端を押さえてもらうしかない。

「これ支えてくれッ！　早よせいやッ！」

見物人とお客が「よっしゃ」と端をみんなで支えた。

支えてくれてる端は大丈夫やけど、脚立の真ん中あたりは火が飛び出てた。でも、これやったらとりあえず二階にいける思て、登ってたら客に引きずり降ろされた。

「おい邪魔すんなッ、なにさらすねんッ」

「坊ッ、お前が邪魔じゃッ！　死んだらどないするねんッ、殺すぞッ！」

ワケわからんこと言うて、客が脚立に登っていった。

途中、火が出てるところを急いで通過して、二階まで行くとハシゴから鉄格子にしがみついた。両足の靴底を壁につけて体重をかけて鉄格子を外そうとしている。すぐにもうひとりの客が登っていき、同じように鉄格子にしがみつく。そのうしろから、もうひとりが登る。しがみついた三人が体重をかけて鉄格子を外そうとしていた。

外れたら三人は真下に落ちて、一階から出ている火にモロにさらされる。

見物人たちが「水用意しよう！　バケツでもなんでもいいから！」と走りだした。

三人の客は火にあぶられながら、鉄格子を握り締めとった。

「同時にいくぞッ、せーのッ」

がきんッと音がして鉄格子が壁から外れ、三人が下に落ちた。

かなりいいタイミングで、ほぼ同時に少し火が一階に引いたから、三人は地面に落ちただけやった。それでも火傷してたから、用意された水をかけられとった。

すぐ他の客たちがハシゴを登っていき窓ガラス破って、二階に入っていきおった。

子どもたちは泣いてたけど、五人もおって、火傷せんように掲げられながら救出されて全員怪我もなかったわ。逆に客たちは火に近づきすぎてほぼ全員火傷してた。

それでも来た消防車と救急車、警察のひとたちに、煙草吸いながら「お前ら遅いんじゃ、殺すぞッ」って絡む元気はあったみたいやな。


客同士でも仲の良し悪しがあってな。

気に喰わんやつがおったら、一杯だけ呑んですぐ帰るようなひとたちやったけど、その夜はみんなで呑みの続きやってた。火傷が痛い痛い言いながらよう呑んでた。

みんな口は悪いけど、子どもを助けられて嬉しかったんやろ。

女将もその夜はおごりや言うてたけど帰るときは全員、金払ってたわ。

「坊。アンタもやるねえ。機転きかせてからに。見直したわ」

女将がビールを注いで「ご褒美や」と渡してくれた。

「いや、ぼくじゃないんです。力士さんが脚立、渡してくれたんですわ」

「力士って？　誰のことや？」

そのとき、客のひとりが「おいおい、あれ見てみ」と天井、指さして。

神棚がなぜか真っ黒に焦げているのを見て、みんな歓声をあげた。

助かったのも神さんのおかげや、大きな声でお礼を言うて、乾杯しとったわ。


善悪の決めつけのない、昭和の時代のお話やで。

この地区のことは私もある程度は知っている。

むかしは本当にその筋の方々が多くて有名な場所だったという。

しかしいまはほぼいなくなり、その代わりに変質者が相当数増えたらしい。どうやらこれは日本全国で起こっている「入れ替わり現象」のようだ。すべての暴力を悪として、暴力の行使権を警察のみに丸投げした結果、手出しできない変質者や他人に害を与える変態のようなひとが増えた。確かにむかしは子どもを性的な目で追いかけるひとたちは、いなかったとまではいえないが、少なかったように思える。それは近所にそういう輩を退治する、強面のひとたちがいたからかもしれない。

ある意味、自浄作用を捨てた群体のようで、未来がどうなるか不安である。

少し前に都内の京王線、電車内にて刃物を振りまわし、放火までした男が世間を騒がせた。もしあの場に暴力に免疫のある男性たちがいたら、鎮圧できなかったにしても女性たちを差し置いて、我先に窓から逃げるような映像は撮られなかったように思えてならない。平和は人間の弱体化を肥大させるようで悲しい限りだ。

さて、この体験談だが、本当はもっともっと長い話だ。

車に轢かれたおっちゃんなる人物と坊のみ、力士さんが視えるひとだった。病室でそれを見抜いたおっちゃんが坊に居酒屋を任せていくのだが、なんせ事件が多い。

ちなみにこの火事のぁと起こったのは、殺人犯が迷いこむ事件（書けない）。鉄砲でカチコミされる事件（書けない）。そして賭博場摘発としての現場（書けないものばっかり）だ。昭和の話で、すでに店はなくなっているが、関係者が他の店をしていることやネットで調べたらでてきてしまうことから、ぜんぜん書けなくなってしまってる次第のつらい話である。ちなみにここにでてくる力士という名前は、こちらで改変させてもらったものだ。

実際は有名な日本人であることを、書けないせめてもの抵抗として記しておく。

秘密の交換日記

◎B子

A子ちゃん、この前はコッペパン持ってきてくれてありがとう。

学校休んだとき、頭痛くて死ぬかと思った。お母さんにバレないようにアニメの番組みてたの。お昼前の子どもむけアニメだったけど、久しぶりにみたら面白かった。はじめてマスクしたけど、なんか銀行強盗みたいで笑っちゃった。

わたしも好きな給食ランキング書くね。

5位　シチュー（お家ではビーフばっかりだけど給食はホワイトだから好き）。

4位　やきめし（グリンピースはきらいだから、ぜったいに残すけど）。

3位　冷凍ミカン（しゃくしゃくしてて美味しいから）。

2位　やきそば（やわらかくて美味しいから）。

1位　カレーライス（この前、晩ごはんもカレーライスだったけど好き）。
けっきょく、わたしも1位はカレーライス。毎日でも食べられるよ。
次はDくんにこの秘密交換日記をまわすね。いつもみたく下駄箱入れとくから。

◎D
書くのおくれてゴメンゴ。日記書いてると兄ちゃんが「なに書いてるんだ」って日記みるから、兄ちゃんがおフロに入ってるとき、いそいで書いてるんだけど、たまたま晩ごはんがカレーだったことを報告しとくわ。次はA子ちゃんの下駄箱にこの日記入れるから、よろしく～。

◎A子
みんなカレーライス好きだよね。わたしは辛口苦手だけど甘口は大好き。
今日さ、Dくんの友だちのアイツが、となりのクラスの女子と仲良くしてるの、みたんだけど。もしかしてアイツってあの子のこと好きだったりして。だって前もちょっかいだしてるの、みたことあるし。ぜったいそうだよ。Dくんもしかして、なんか知ってるんじゃないの～。あの女子ってすごくモテるし（裏情報）。

あとB子ちゃん、この前他のグループの男子がB子ちゃんのこと可愛いっていってたよ。モテますねー。ひゅーひゅー。わたしもそろそろ好きなひと作ろうカナ。

日記、次はB子ちゃんの下駄箱に入れるね。B子ちゃんは好きなひととかいるの？

◎B子

ヤッタ！　モテた！　恥ずかしいけどウレシイ！　でも実は、このあいだ失恋しちゃったんだよねえ。告白したわけじゃないけどその男子、好きなひといるっていってた。ショックだったけど仕方ないよね。えーん。

あのモテる女子知ってるよ！　なんか男子の前と女子の前じゃ、ぜんぜんしゃべりかたとか違うから、ぶりっ子してるよね。テレビで北斗の建とかみてるアホな男子とか（とかいってウチの弟も北斗の建に夢中）もあの子に見惚れてたりするから、やっぱり男子ってああいう子のほうが好きなんだよ。ぜったいに。
というわたしの意見ですが、どうでしょう、Dくん。

◎D
アイツそうなの？　なんか心当たりあるかも。よくとなりのクラスいってるし。あんまりそんな話しないから、わからないなあ。興味もないし。　るれさ
あと北斗の建ってなんだよ。建じゃなくて拳。建だったら大工さんみたいになっちゃうだろ。北斗の拳めちゃ面白いからな。バカにするべからず。あたたってするぞ。
明日は父兄参観だね。参観ってちゃんとしなきゃいけないから教室の空気重いんだよねー。やば、兄ちゃんに気づかれたから、そろそろドロン。それじゃあねー。
ろこ

◎A子
参観、キンチョーしたね。ウチなんかお父さんとお母さん、ふたりともきたからびっ

くりしちゃった。でも五年生にもなって同級生たちが親と一緒に帰ってるの、みてるのなんか不思議な気分になって面白かった。

◎B子
参観、Dくんがクシャミしただけで、みんな笑ってたね。あのふんいきのなかだったら、ちょっとしたことでも笑っちゃうよね。でも、あの「ハックシュン」のあとの「チキショー」はもはや反則技だよね。こころの声がもれちゃったのかな。

◎
だめだっ　た　ねてるときだ　ったから

◎A子
Dくんだよね？　いったいぜんたいどうしたの？　なにがだめだったの？

◎
い　たかった　ちが　いっぱい

◎B子
だれ？　Dくん休みだったから、これDくんじゃないよ。

◎A子
今日もDくん休みだったよ。参観からずっと休んでるし。
もしかして間違えてB子ちゃんが違うひとの下駄箱に入れたんじゃないの？

◎B子
間違えてないよ。間違えてたとしてもA子ちゃんの下駄箱には入ってたんでしょ。
なんかこわい。明日はA子ちゃんの下駄箱に入れるね。

し　にた　くない

◎A子

なんか変じゃない？　B子ちゃんが書いてるんでしょ。こわいから止めて。

◎B子

わたしじゃないよ。だれかのイタズラみたい。ちょっと日記あずかるね。

ずっとい　たい　いたい　たすけ　て

机に入れたのに字が書かれてる。こわい。もうこの日記A子ちゃんにあげる。

最後のページのあと、B子さんはA子さんに日記を押しつけた。
これらは日記が残っていて、それをみせてもらったということではない。A子さんから、彼女が覚えている限りのことを聞きだして再現したものだ。実物は処分したらしい。

参観日の夜、Dさんは亡くなっている。
教室で教諭が生徒たちにそれを説明したのは、日記が最終的にA子さんに渡ったあとである。死因は兄とともに胸部を刃物で刺されたことによる出血死。両親はふたりして首を吊っている。無理心中だ。この出来事があった八十年代の日本はバブル景気だが、全員が裕福ということだったわけではない。Dさんの家庭は貧困に苦しんでいて、それが心中の原因だった。

A子さんとB子さん、そしてDさんの三人で書いていた秘密交換日記。他の同級生たちにバレないよう、下駄箱に入れて次にまわす方法をとっていた。直接、渡す方法なら文書が現れる現象は起こらなかったのだろうかと、どうしても考えてしまう。

まるで霊が書いたと思われる言葉は、本当にそうなのだろうか。

普通に推理するなら「下駄箱から日記を抜きとった何者かが、Dさんのフリをして文章を書きこんだ」と考えられるが、それより高い可能性は「B子さんが書きこんだ犯人だった」である。最後に文字が浮かんだとき、B子さんが日記を所持していたのだから。そうだとするなら、なぜ彼女はこんなことをしたのか見当もつかない。もしB子さんが精神病質者《サイコパス》だったとしても、まだ納得できないことはある。

日記がDさんのページのとき、予言めいた文字が小さく書かれていた。一見すると無意味な文字は、逆から読むと「ころされる」となっている。A子さんもB子さんも文字に気づかなかったようだ。これはいったいなんだろうか。この日記はA子さんが大学生になるまで、家の押し入れの奥に封印されており、改めて読み直して「ころされる」の文字に気づいたという。もしやDさんはこっそり両親の話でも聞いて、心中の計画に気づいていたのだろうか。もし、そうならば悲しいことである。

なぜ日記を処分したのかとA子さんに尋ねると、それには理由があった。

Dくんのものと思われる文書は、最後のページ以降にも浮きでていたらしい。

押し入れに片付けるときには白紙だったはずなのに――。
怖くなったA子さんはそれらを読まずに、日記を焼却したという。

この一家無理心中で両親とDさんは亡くなってしまった。
ところが、日記にも登場したDさんの兄は重傷を負いながらも助かっている。病院で治療を受けたのち、養護施設で暮らすことになったようだ。もしかしたら生存している兄が怪異を解く情報を持っているかもしれない。しかしながら、死にゆく家族を目撃したかもしれない兄――彼に取材するほど私は冷酷になれない。読み解かないほうがいい怪談もあるのだ。

ハッピーバースデイ

NとEと仲が良くて。私たち三人でよく遊んでいました。Nはちょっと冷たいけど聡明な性格、Eは態度悪いけど優しい性格。私はどうなんでしょうかね。多分まわりに流されてしまう、よくいるタイプなんじゃないですか。

最初に「なあA、Nと泊まりで鍋食わね？」とEがいいだして。雑誌でみつけた山奥にあるコテージだとか。和風で囲炉裏があるような。いい感じのトコらしくてね。鍋をみんなでつつきながら日本酒なんて最高じゃないですか。

私たち三人が遊ぶときの共通点は、男同士のほうが楽しいってことでした。だからキャバクラとかガールズバーとかには興味がない。でもエロい話とか下ネタとかは大好きなんですよ、三人とも。でも女性のいる店にはいかないんです。いつも居酒屋系のいい店を探したり、ちょっと遠出して美味しいもの食べにいったりしていました。

週末、三人合流して車でむかって到着しました。

かなり山奥でしたが、予想よりも洒落たコテージで「かっこいいな」と嬉しくなっちゃって。何棟か並んでいると思ったのですが二棟しかなくて広々としているんですよ。その二棟も距離があるから騒いでも問題なさそうな感じでした。

外観も内装も木目調、なかは吹き抜けの広い空間、トイレ、台所と豪華な浴場があって清潔で。さらに二階もあって、かなり広い。

肉や野菜は冷蔵庫に用意されていました。周囲には山菜もあるらしく、ラミネートされた採れる山菜一覧表が置かれていて。棚には地元の日本酒も並んでいましたね。

私が「ここ、いいじゃん」と伝えるとEは誇らしげにいってました。

「だろ。居酒屋じゃ怒られるけど、ここなら酔っぱらって大声で歌ってもいいぞ」

「バカ、歌わねえよ。なにいってんだ」

ちょっとくつろいだあと、私たちは食事の準備を始めました。

囲炉裏を囲んで肉や山菜を鍋に入れて、冷蔵庫にあった味噌で味付けして。

食べて呑みながら音楽を流して、やっぱり歌ったりなんかしましたね。

Eがトイレに入ってるとき、Nが「なんか聞こえないか?」といいだしました。

流している音楽、曲と曲の合間になにかミシミシ音がするっていうんです。

「クーラーつけてるし、木造だからな。温度差で家鳴りしてるんだろ」

私はそういいながら、Nのうしろにあった窓に目がいきました。

ほんの一瞬ですが、ひとがみえたんです。驚いて「わッ」と声をだしてしまって。

「うお、びっくりした……どうした？」

「い、いま誰かいたぞ、そこの窓から、覗いてた。じいさんみたいな」

Nは「マジで？」と立ちあがり、窓に近づいて外をみました。

「……誰もいねえよ。てか、真っ暗でなんにもみえない」

そういいながら鍵を開けて窓を開き、Nは外に顔をだしました。

「時計……いや違うか。なんでもないよ。お前、酔ったんじゃないの？」

Nは窓を閉めて囲炉裏のほうへもどってきました。

「気のせいか。なんかヒゲのじいさんがいたような気がして」

「じいさんはこんな山奥にいないから。真っ暗で遭難しちゃうよ」

トイレからもどってきたEが「なんか、寒っ」と囲炉裏の炎に手をかざします。

「いまAがさ、窓の外に誰かいるとかいって。酔ってんだよ、日本酒で」

Eは「誰かいたの？　まさか天使？」とワケのわからないボケをかましました。

「オレの気のせいだよ。天使ってなんだ？　意味がわからねえよ。多分、ほら。窓ガラスに室内、反射して映ってるから、それでなにかと見間違えたんだよ、きっと」

私が窓を指さすと、Nが振りかえって「なるほど」とつぶやきました。

「鍋、もうないな。まだ腹減ってるわ」とEは立ちあがり冷蔵庫を開けて、なかをじっとみつめています。私は囲炉裏から、Eは台所の冷蔵庫の前からやりとりします。

「お、まだ白菜と肉あるわ。お前らまだ食べれる？」

「いや、いい。なんかお前、よく食べるな。いつもは少食のくせに」

「なんか妙に腹減ってるんだよね、なんでだろ。さっきは吐きそうだったのに」

「吐きそうだったのかよ。酔って胃がワケわかんないことになってんだよ」

白菜を切る音が聞こえてきて、私は正面にむきなおりました。Nは囲炉裏の火で人差し指の先を焼いて「ロウソクみたい」とつぶやいています。私はロウソクがきれいなことを思いだして「そういえばロウソクってさ、きれいだよな」といいました。

「誕生日とかロウソクきれいだなって思ってたもん。子どものころに」

Nは顔の前に人差し指を近づけると、燃えている指先の火を吹き消しました。

「ハッピーバースデイ。お前、爪が焦げてるぞ」

「ホントだ、ははっ。焦げちゃったよ。ふぁああ……眠くなってきた」

Nは立ちあがり「ちょっと仮眠」とふらふら二階にあがっていきました。

しばらく私は、くすくすとひとりで笑っていました。

Eがまな板に包丁をのせたまま、白菜と肉を持ってきました。

「お待たせしましたあ。では投入しまーす」

「待ってねえよ」という私の前で、Eは白菜と肉と包丁を鍋に入れました。

「あとはまたちょっと火力を強くして……そういえばNはどこいったの？」

「なんか誕生日だから仮眠するってさ。燃えてたよ、ロウソク」

「そっか。なんかさっきから腹減っちゃってさ。鍋食べる？」

「白菜と肉と包丁入れたばっかりだろ。ごめんね、お姉さん。こいつ、酔ってるの」

「包丁って煮こんだら美味しいんだろ。オレ、包丁そのまま丸飲みしてみたかったんだ。上むいて喉の奥に突っこんで、そのままゴクンって。ああ、はやく食べたいな」

「ぷッ、なに？　え？　どういうこと？　包丁の踊り食いとかないし。面白いな」

Eがぶくぶく泡を吹きながらカオルさんのこと、みつめているんです。

「……カオルさんってさ、どうしてここにいるの？」

カオルさんは腐った肌で笑顔のおんな、いつの間にか横にいるけど誰だっけ？

考察すべし

AとEとぼくの三人、車でコテージにいったんです。N県の山奥のコテージ。良い感じのところでした。周囲に民家もなくてザ・大自然って雰囲気で。前もって鍋コースみたいなのを頼んでいたから、基本的な具材は冷蔵庫に用意されていたんですがプラス、コテージのまわりで山菜とか採ってきて。楽しみにしていたんです。

囲炉裏があったんで、そこで鍋を火にかけて煮えるのを待っていました。

そろそろかなって、フタ開けて。味噌で味付けしていただきました。

日本酒とあうんですよ、鍋が。夏に冷房をマックスにして鍋とか最高です。

けっこう呑んで。音楽流してAに歌わせて。てか、勝手に歌うんですけど。

音楽の合間に変な音がしていたのを覚えています。足音です。

Aは家鳴りだろうといっていました。でも、ぼくにはどうしても足音のように聞こえてしまって。三人なのに四人いるみたいな感じで。でもそんな怖いことといって雰囲気を壊したくないので、それは黙ってました。

Eが「ちょっと失礼しまっす」とトイレに入って、その足音の話をしたあたりですかね。Aが「わッ」って大きな声で叫んだんです。いきなりだったんで驚きました。

「い、いま誰かいたぞ、そこの窓から、覗いてた。じいさんみたいな」

ぼくのうしろに窓があって、指さしていうんです。

こんな山奥でひとなんかいるワケないのに。

でも足音のこともあるし、もし本当にいたらそれも怖いんで。

ぼくは立ちあがって窓から外をみました。

なにもみえないけど、ちゃんと目視しておこうと窓を開けて顔を外にだしました。

真っ暗だったんですが、少し離れたところになにか丸いものがあります。

時計です。暗闇のなかに時計がひとつ、浮いていたんです。

それが、ふっと消えてなくなりました。ぼくは（なんだいまのは？）と思いながらも、Aに酔っていると思われるのがイヤだったので、なにもないフリをしました。

そのときEがトイレからでてきたので彼にいいました。

「いまAがさ、窓の外に誰かいるとかいって。酔ってんだよ、日本酒で」

「誰かいたの？　まさか天使？」

誰もいなかったけど、時計があったなんてワケのわからないことはいえず、さっきみたのはなんだったのか、AとEにバレないように考えていました。

「いや、おれの気のせいだよ。多分、ほら。窓ガラスに室内、反射して映ってるから」

反射という言葉を聞いて、もう一度窓ガラスをみました。

窓ガラスに室内の時計が反射で映っているのをみて「なるほど」とつぶきました。

（あれが外にあると錯覚したのか——でも待てよ。観音開きの窓なら、開けてガラス越しにみれば室内にある時計が映って外の景色と重り、浮かんでいるようにみえるかもしれない。でも、この部屋の窓は横にスライドするタイプで、いま確かに窓から顔をだして外をみたはずだ。じゃあ、反射しているのは関係なく、外に浮かんでいるようにみえたってことで……あの時計、なんか針がおかしかったな。確か——）

自分の指を眺めながらコナンくんみたいなことを考えていると、どうしてかわかりませんが、指先がじんじんとマヒするように、しびれてくるのを感じました。

（冷房のせいで冷えているからか。熱くしなきゃ）

ぼくは囲炉裏の火に人差し指を突っこみ、ゆっくりと燃やしていきました。

（よし、ちょっと温かくなってきたな）

「お、まだ白菜と肉あるわ。お前らまだ食べれる？」

食材をみつけたEが白菜を切りだしました。

そのあいだも人差し指は煙をあげて焦げつき、そのうちポッと火がつきました。

ぼくはロウソクみたいだと思ったので「ロウソクみたい」とつぶやきました。

Aが僕の指をみて「そういえばロウソクってさ、きれいだよな」といいます。

「誕生日とかロウソクきれいだなって思ってたもん。子どものころに」

ぼくは顔の前に人差し指を近づけて、燃えている指先の火を吹き消しました。

「ハッピーバースデイ。お前、爪が焦げてるぞ」

火をみていたせいか、部屋がチカチカ虹色にみえて、目がしょぼしょぼしました。

「ホントだ、ははっ。焦げちゃったよ。ふぁああ……眠くなってきた」

ぼくは立ちあがって階段にむかおうとしましたが、うまく歩けません。

（ゆっくり歩いて、いち、にい、さん。ああ、なんか指先、かゆいなあ。指かゆ）

それでもなんとか階段をあがりきったところで、ゆっくりと膝をつき、そのまま寝転がって焦げた指をみていましたが、大きく息を吸いこんで上半身を起こしました。

（――ちょっと待て、なんだこれは！）

異常なことが起こっていることに、そこで初めて気がつきました。

躰がしびれて舌がざらざらするし、焦げた指先が脈打って痛む。そもそも、しびれているから温めるという理屈も、なぜ自分の指を囲炉裏で焼いたのかも理解できない。

（なにが起こってるんだ？　原因を考えろ。いつからおかしくなった？）

ぼくは頭を必死で働かせて、時計のことを思いだしました。

（ガラスに映った時計、確か針が、秒針が……かなり、ゆっくり動いていた）

大学に通っていたとき、講義を受けたことがあるのを思いだしたんです。

（幻覚？　高次の意識状態？　脳機能障害？　視覚神経の異常？　これはまるで――）

LSDなどの麻薬を摂取したときの幻覚の例で記されていました。周囲を認知する機能や思考能力が猛スピードで落ちていたんです。思えばAにも同じ症状がでていたんでしょう、ぼくの火のついた人差し指をみて、彼は妙な反応をしていました。

手すりのあいだから一階をみると、Aはひとりで囲炉裏の前に座り、くすくす笑っています。Eは台所でキョロキョロしながら、包丁で白菜を切っています。

まだふたりとも、自分たちの状態を自覚していない——これがどんなに危険なことか、自分の焦げた指をみればよくわかりました。

気がつかないうちに事態が途方もなく酷い方向にいこうとしているのを感じて、いま必死で考えて対処しないと、とんでもないことになる予感がしたのです。

（いつ麻薬が躰に入ったんだ？　この三人のなかで麻薬を持っているやつなんかいるハズがない。ふふっ、ウケる……ダメだ、冷静になれ！　麻薬のせいじゃない？　毒？　神経毒？　神経毒の蛇？　いや、三人とも気がつかないうちに蛇にかまれるなんてありえない。だとすると食べた？　全員が食べて毒の可能性があるのは——山菜）

そうなんです。採ってきた山菜に、毒が含まれているものがあったんです。

（宿の用意した食べられる山菜一覧表を片手に、確かめながら採ったのに。気がつかないうちに入っていた？　集めた山菜にキノコがあった。確かＬＳＤと同じ効能を持つものも存在したはず。まさかこんなことで自分の指を焼いちゃうなんて、ふふ）

幻覚作用があるものを体に摂りこんだとき、冷静に幻覚であることを意識しないといけません。それを理解しているかどうかで行動がずいぶん変わってしまいます。

（しっかりしろ！　また意識が混だくする前に、下のふたりに知らせないと——）

そう思ったとき、目がまわって、再びその場に寝転がってしまいました。

「がッ……くそ……」

大声さえだせれば報せられるのに、息が苦しく上手く吸いこむことができません。まるで溺れているような感覚で、その自覚とともに躰が水に浸かっているような気すら起こりました。寝転がり、躰を反らせて目を開き、逆さの視界で廊下の奥をみる。

足音もなく廊下の奥から誰かが歩いてきます。腐った肌で下着姿のおんなです。

（カオルだ……いや、名前なんてわかるはずがない。幻覚も妄想も症状のひとつだ）

おんなは笑顔でぼくを見下しながら、真横を通って階段をおりていくんです。

起きようとしましたが躰がいうことをきかず、手すりにもう一度掴まって腕に力をこめて首を伸ばし、一階をみたらEが包丁を口に差しこんで血を噴き、ウケるわ。

幻覚の極み

コテージにむかう最中、山のふもとで車停めて管理事務所によったんだよ。

「オレ、ちょっと手続きしてくるわ」

AとNを車で待たせて。面倒くさいから、ちゃっちゃ済ませようと思ってさ。

でも事務所のなかに誰もいなくて。何度も「すみません」って声かけたの。やっとできたと思ったらそいつめちゃ不愛想。渡された書類に書きながら、訊いたのね。

「鍋とかお酒とか、コテージのほうにそろっているんですよね?」

「……冷蔵庫、入れといた」

あ? なんだそのいいかた? カチンときて、そいつの顔みたのね。

なんかやる気ない目っていうか、死んだ目っていうか。若くもみえるし、年寄りにもみえる。年齢不詳だけどヒゲが生えてたから、まあ、いい歳なんだろうけど。

「入れといたって、冷蔵庫のなかに入れたってことですよね、鍋の食材を」

「……肉、野菜、お酒も……全部、美味しいから」

口のききかた知らねえけど、多分悪いやつじゃないんだろうなと思ったよ。

書類書き終わって、金払って、コテージの鍵もらって。

管理事務所でるときに「それと」ってこんなこといったんだ、そいつ。

「山菜も……美味しいから」


コテージに到着して休憩してから、Aに冷蔵庫のなかの食材切ってもらって。

オレはNと山菜採りにいったの。シンクに置かれていた山菜一覧表を持って。

「食べられないものもあるから、気をつけて集めろよ」

Nはやたら慎重なんで、オレが採ったものまで一覧表みて確認してたね。


クーラーをガンガンにして熱々の鍋と日本酒、もう最高。

腹いっぱい食べて大満足。しばらく三人で盛りあがってたら食べすぎたのか、なんか吐き気がしてきて。これちょっと吐いたほうがいいかもって、トイレいったの。

トイレ入って吐こうとしたけど、吐けない。おかしいな、吐き気じゃないのかなって不思議に思っていたら、トイレの電球から虹のひかりが降り注いできてキレイなんだよ。あ、これからオレの未来は安心なんだ、祝福だコレって思った。自分でいうのもなんだけど、いいことばっかりしてきたし、困ってるひとは助けてきたし、けっこうスピリチュアルなところあるタイプだし、そりゃ天使の祝福浴びるわ、ありがとう。

あれ、虹のひかりがトイレの窓から外へ流れていく、なんでだろ。ちょっと待てよ、そうだな、やっぱりオレみたいに満たされている人間が幸せ独占すべきじゃないよな。うん、うん。電車が揺れてみんなを目的地に運ぶ。蝶が舞って花粉を運んでいくように。物事ってむかうべきところへむかうんだ、そうだよ、オレたち信じていいんだ。

トイレの窓から外へ飛びだす奇跡の虹がこのコテージから世界を包んで、ルルル。

窓の外からどこかでみた顔が包丁は美味しいってグルメ情報教えてくれて、ルルル。

便器からスマイルの王さまと天使たちが飛びだしてGOTOヴァルハラ、ルルル。

「ん？　いま誰か外にいたような？　夢？　あれ、オレ寝てた？」

ひとり言のあと、トイレから出て囲炉裏にもどると、どういうワケか腹が減ってきた。

台所にいって冷蔵庫を開けると、小さな天使が「コンニチワ」と挨拶。

（ばか、こんなところでなにしてるんだよ。みんなにみつかっちゃうだろ）

そうオレが念じると、天使は「ワーイ」と飛びさっていった。危ない、危ない。

白菜と肉を包丁で切りながら天使を探したが、ちゃんとでていけたみたいだ。

（そういえばトイレの窓から、包丁美味いってお勧めされたな。よし）

まな板に白菜と肉と包丁をのせて囲炉裏にもどると、なぜかNがいなくなり、その代わりにカオルさんがAの横に座っていた。とりあえず、鍋に食材を入れて煮なきゃ。

「お待たせしましたあ。では投入しまーす」

包丁も一緒にどぼどぼどぼ、イン。

「あとはまたちょっと火力を強くして……そういえばNはどこいったの？」

「なんか誕生日だから仮眠するってさ。燃えてたよ、ロウソク」

誕生日か。ということは、まず天使はあいつのもとへ着地したってことだな。

「そっか。なんかさっきから腹減っちゃってさ。鍋食べる？」

「白菜と肉と包丁入れたばっかりだろ。ごめんね、お姉さん。こいつ、酔ってるの」

「包丁って煮こんだら美味しいんだろ。オレ、包丁そのまま丸飲みしてみたかったんだ。上むいて喉の奥に突っこんで、そのままゴクンって。ああ、はやく食べたいな」

「ぷッ、なに？　え？　どういうこと？　包丁の踊り食いとかないし。面白いな」

カオルさんは笑っている。てか、笑ったまま固まっているだけの顔。

「……カオルさんってさ、どうしてここにいるの？」

訊いてもなにも答えず、ただ静かに微笑んでいる。まるで母性の塊なのだ。

「包丁、そろそろいけるかな。あんまり煮こむと柔らかくなっちゃうし」

包丁を箸でとろうとしたが重いので結局、手でつかんだ。

「もういけるかな。オレが食べてもいい？」

Aは「いいよ、一気にいけ」といった気がした。目をつぶって寝ている気もした。

オレは包丁の柄を指先でつまんで持ちあげ、大口で「いただきます」と指を離した。

衝撃が奥歯の根本に走って、しょっぱいヨダレがぶわっと噴きでる。

思わずオエッと包丁を吐きだしてしまう。実にお下品だ。

「狙いが定まってなかったから失敗。今度はちゃんと喉の奥にいくぜ」

Aは幸せそうな笑顔で、カオルさんは死にそうな笑顔で見守ってくれてる。

今度は失敗できない。これ以上、カオルさんに醜態をみせるワケにはいかない。

口のなかに落とすんじゃなくて両手でしっかりと、喉の奥に突っこもう。

「やめろッ！　食べた山菜に毒が入ってた！　包丁だぞ、それッ」

いきなり二階からNが叫んだから「お前のぶんはないぞッ」といってやった。

ハッとした表情になったAが青ざめて、オレのほうをみた。

「A！　とめろッ、はやくッ」

飛びついて柄をつかんだAは、オレから包丁をとりあげようとした。

「ダメだ、おれの包丁なんだから！　ひと口で食べるんだからッ」

「死にたいのかッ。いいから離せッ！　さっきからおかしいと思っていたんだッ」

ふたりで取っ組み合いをしていると、大きな音を立てNが階段から転がってきた。

「カオルさんにいいところみせなきゃッ、カオルさんにいいところをみせなきゃッ」

「こいつは幻覚なんだよッ、いいから離せってッ」

天使がまわりをクルクルまわり、カオルさんが応援してくれている。

そこにNが囲炉裏まで這いつくばってきて、熱している鍋を素手でつかんだ。

「このクソおんなッ」

Nが鍋を投げつけると、カオルさんは笑ったまま、弾けるように消えた。

消えた？　これ、本当に幻覚だったのか。

「おいA、大丈夫か？　E……お前血だらけだぞ。ここはいろいろな物があって危ないから外にでよう。まだ二時間は幻覚が続くはずだ。落ちついているうちに、はやく」

霊とかどうでもいい

Aさんと Nさんは座りこんで、目の前のコテージを眺めていたそうだ。

空は明るくなりはじめていた。ふたりのあいだには暴れたり落ちついたりしたEさんが寝ている。ペットボトルの水を呑みながらNさんは「どうだった?」と尋ねた。

「……基本、なんか笑った。思ったよりも笑ったみたいで、腹筋が変になってる」

「……それも症状。結局、いちばん怪我してるのオレだもん。この指大丈夫かな」

応急処置でラップを巻いた指は痛みが酷いが、それよりもNさんは疲れ切っていた。

「……こいつは歯茎切っただけだし。血も止まったみたいだし。スヤスヤ寝てる」

「……生まれて初めてトリップした。マジックマッシュルーム合法のときも、やったことなかったのに。思ったよりも危ないんだな。オマエが物知りでよかったよ」

ふたりで何度もため息をつき、何本目かの水の入ったペットボトルを空けた。

「……こういうのって水でマシになるの？」

「……知らん。でも喰ったものは基本、小腸からだから水じゃないの？」

「……あのさ、三十分くらい前かな。なんかコテージのなかで人影みえなかった？」

Aさんに聞かれて「みえた」とNさんが答える。

「……なんか動いてたな。幻覚だろ。それか霊かな。いま霊とかどうでもいい」

「……うん、どうでもいいな。もうクタクタすぎて考えれん。このあと帰る？」

「……ここじゃなかったら寝たい。でも病院いかなきゃ。指、腐るかも」

「……もうちょっとだけ休憩したら、こいつ起こして出発しよう」

出発する前に三人は散らかったコテージを片付けた。

あの山菜一覧表だけ、どこを探してもなぜかみつからなかったという話である。

なにが幻覚でなにが現実だったのか。虚実入り乱れる体験談である。
この話に至っては是非、皆さん自身に考察していただきたい。
いったい誰のせいでこんなことが起こったのか、考えてみると面白いと思う。

ひとつ事実を記すなら——この話の数年前、山で行方不明になっている女性がいた。
女性の名は、幻覚にもかかわらず全員が認識していた名前と一致していたという。

野暮でも、こころが学べるかもしれないなら怪談考察に意味はあるかもしれない。

お互いのために忘れてはいけないものが、思いやりなのだから。読んでいただいた皆さま、そして体験を提供してくださった皆さまへ、こころから感謝の意を表する。

★読者アンケートのお願い

本書のご感想をお寄せください。アンケートをお寄せいただきました方から抽選で10名様に図書カードを差し上げます。
（締切：2023年８月31日まで）

応募フォームはこちら

黄泉とき 怪談社禁忌録

2023年8月7日　初版第1刷発行

著者……………………………………………………………… 伊計 翼
デザイン・DTP ……………………………………… 荻窪裕司（design clopper）

発行人………………………………………………………… 後藤明信
発行所………………………………………………… 株式会社 竹書房
〒102-0075　東京都千代田区三番町８－１　三番町東急ビル６F
email：info@takeshobo.co.jp
http：//www.takeshobo.co.jp
印刷所…………………………………………………… 中央精版印刷株式会社